Chères lectrices,

Bienvenue dans « Se...  fresque familiale consac... de la littérature, à l'hist... ...nnemis, les Whitmore et les Campbell. J'ai choisi d'en situer l'intrigue dans le monde fascinant des joailliers australiens — un univers raffiné, mais aussi sans pitié — en mettant aux prises des personnages passionnés autour d'une pierre précieuse extraordinaire : l'Opale noire.

L'héroïne de cette saga est une jeune fille hors du commun que j'ai appelée Gemma, car son caractère et sa beauté me semblent d'une pureté aussi rare et précieuse que celle d'une opale.

A la recherche de ses origines, et avec l'Opale noire pour seul indice, Gemma va faire la connaissance du clan des Whitmore. Elle est loin de se douter des remous qu'elle va susciter dans cette famille : chez Nathan, dont elle va devenir la femme, mais aussi dans son entourage. En effet, en même temps qu'elle va éclaircir le mystère de sa naissance, Gemma va changer le destin des Whitmore et le lier définitivement à celui des Campbell... Des bouleversements qui aboutiront, bien sûr, à un heureux dénouement !

Je vous laisse maintenant découvrir le troisième des six romans de la série « Secrets et Scandales » que vous aurez, j'espère, autant de plaisir à lire que j'en ai eu à l'écrire !

Miranda Lee

MIRANDA LEE

Miranda Lee est australienne, et vit non loin de Sydney. Née et élevée dans le Bush, elle a fait toute sa scolarité dans une école religieuse avant de se consacrer à l'étude du violoncelle. Plus tard, elle change radicalement de voie et s'installe à Sydney, décidée à faire carrière dans le monde tout nouveau de l'informatique. Un mariage heureux et la naissance de ses trois filles la détournent progressivement de sa vie professionnelle. Elle se consacre alors avec plaisir à la vie de famille, qui va lui permettre, en restant à la maison, de découvrir un autre univers : celui de l'écriture.

Depuis, Miranda Lee a publié une cinquantaine de romans qui se sont vendus à plus de dix millions d'exemplaires dans le monde. Chacun de ses livres incarne son style très particulier : un rythme vif, des situations sexy, des personnages passionnés et des intrigues captivantes. Sa devise : ne jamais ennuyer le lecteur ! D'ailleurs, ses millions de lectrices et de fans dans le monde entier en témoignent : les romans de Miranda Lee vous tiennent en haleine du début à la fin. Heureuse, bien entendu !

Résumé des romans précédents...

A la mort de son père, un chercheur d'opales, Gemma Smith trouve une pierre d'une beauté exceptionnelle dans les affaires de celui-ci. Mais sa surprise ne s'arrête pas là : la découverte d'une vieille photo lui fait soupçonner qu'un mystère entoure sa naissance. Résolue à en savoir plus, Gemma quitte sa campagne profonde pour Sydney, non sans avoir emporté la mystérieuse opale dans l'espoir de la vendre aux Whitmore, les célèbres joailliers.

C'est là qu'elle rencontre Nathan Whitmore, le bras droit et fils adoptif de Byron, le P.-D.G. de Whitmore Opals. Touché par la vulnérabilité de Gemma, Nathan lui offre un très bon prix pour l'opale qu'elle souhaite lui vendre, dans laquelle il reconnaît une pierre volée à Byron près de vingt ans plus tôt, l'Opale noire. Et, contre toute attente, il lui propose un emploi comme jeune fille au pair auprès de sa fille Kirsty — le temps pour Gemma d'intégrer l'équipe de vendeurs de la bijouterie Whitmore.

Installée à Belleview, la luxueuse propriété des Whitmore, Gemma ne tarde pas à tomber amoureuse de Nathan et s'offre à lui, en dépit des mises en garde de son entourage... Elle va même jusqu'à accepter de l'épouser. Mais que peut-on attendre d'un mariage quand on connaît si peu son futur époux et, pire encore, que l'on en sait si peu sur son propre passé ? Ainsi, bien que les jeunes mariés vivent en parfaite harmonie sensuelle, Gemma rêve-t-elle de connaître un amour aussi parfait que celui qui lie Jade, la fille de Byron, à Kyle Gainsford.

Et à ce désarroi amoureux s'ajoute désormais un sentiment d'échec personnel. Car en dépit de l'enquête commandée par Nathan, aucune nouvelle piste ne vient éclairer Gemma sur le mystère de ses origines — ni sur celui de l'inestimable Opale noire...

Si vous achetez ce livre privé de tout ou partie de sa couverture,
nous vous signalons qu'il est en vente irrégulière. Il est
considéré comme « invendu » et l'éditeur comme l'auteur
n'ont reçu aucun paiement pour ce livre « détérioré ».

*Cet ouvrage a été publié en langue anglaise
sous le titre :*
PASSION AND THE PAST

Traduction française de
MARIE-PIERRE MALFAIT

HARLEQUIN®

est une marque déposée du Groupe Harlequin
et Azur® est une marque déposée d'Harlequin S.A.

Illustrations de couverture
Couple : © SUPER STOCK / STOCK IMAGE
Sydney : © LOUIS GRANDADAM / GETTY IMAGES

*Toute représentation ou reproduction, par quelque procédé que ce soit, constituerait
une contrefaçon sanctionnée par les articles 425 et suivants du Code pénal.*
© 1994, Miranda Lee. © 2003, Traduction française : Harlequin S.A.
83-85, boulevard Vincent-Auriol, 75013 PARIS — Tél. : 01 42 16 63 63
Service Lectrices — Tél .: 01 45 82 47 47
ISBN 2-280-04999-6 — ISSN 0993-4448

MIRANDA LEE

Les blessures du cœur

HARLEQUIN

COLLECTION AZUR

Les principaux personnages de ce livre :

Gemma Smith : A la mort de son père, un chercheur d'opales, Gemma découvre une pierre d'une beauté exceptionnelle, ainsi qu'une photo jaunie qui jette un doute sur sa véritable identité. Dans l'espoir de découvrir la vérité, elle se rend à Sydney où elle tombe amoureuse de Nathan Whitmore qu'elle épouse peu après.

Nathan Whitmore : Fils adoptif de Byron Whitmore, Nathan fut arraché par ce dernier à une enfance malheureuse qui l'a irrémédiablement marqué. Froid et brusque en apparence, saura-t-il apporter à Gemma toute l'affection dont elle a besoin ?

Melanie Lloyd : Gouvernante de la famille Whitmore, Melanie a perdu toute joie de vivre depuis la mort tragique de son mari et de leur seul enfant. Pour elle, l'amour appartient au passé… du moins le croit-elle, jusqu'à sa rencontre avec Royce Grantham.

Royce Grantham : Cet ancien pilote de Formule 1 d'origine britannique tombe sous le charme de Melanie dès l'instant où il pose les yeux sur elle. Il ne lui reste qu'à gagner sa confiance et à conquérir son cœur. Sans doute le plus grand défi qu'il se soit jamais fixé !

Ava Whitmore : La jeune sœur de Byron est une incurable romantique qui ne demande qu'à s'épanouir. Pour l'instant, sa peur de l'échec et ses kilos en trop l'empêchent encore de s'ouvrir aux autres…

Byron Whitmore : Veuf depuis peu, Byron est le patriarche tyrannique du clan Whitmore.

Jade Whitmore : Fille de Byron et de son épouse décédée, Irene (née Campbell), Jade est fiancée à Kyle Gainsford, directeur du marketing de Whitmore Opals

Kyle Gainsford :(Armstrong) : Sympathique et terriblement séduisant, Kyle est de surcroît l'héritier d'une des plus grosses fortunes d'Australie

Celeste Campbell : La belle et sulfureuse Celeste dirige la célèbre joaillerie Campbell Jewels d'une main de fer. Son cœur, lui, demeure hanté par un ancien amour…

Damian Campbell : Frère cadet de Celeste, il est aussi directeur des ventes et du marketing de Campbell Jewels. Mû par l'assouvissement de ses désirs, il se moque de blesser les autres dans sa quête inlassable de l'amour.

1.

Dès l'instant où Royce posa les yeux sur la magnifique opale exposée dans la vitrine, il voulut l'acquérir.

Il avait toujours été comme ça. Rapide et sûr dans ses prises de décision ; déterminé à satisfaire tous ses désirs. A l'âge de dix ans, il avait décidé de devenir champion de karting dans le sud-ouest de l'Angleterre. A quatorze ans, il réalisait son souhait. A dix-neuf, il convoitait le titre de champion du monde de Formule 1.

Cette fois-là, il lui avait fallu treize ans pour atteindre son objectif. Treize longues années de danger et de travail acharné. Il avait conservé le titre deux ans avant d'annoncer son retrait, plongeant le milieu de la compétition automobile dans la stupéfaction. Mais à quoi bon continuer ? Il avait relevé le défi, atteint son objectif. Il était temps de passer à autre chose.

Dix-huit mois s'étaient écoulés depuis — dix-huit mois qu'il avait passés à sillonner le monde, visitant tous les endroits qu'il n'avait jamais vraiment vus, coincé au volant de son bolide. Il s'était alors découvert une passion pour les objets d'art et les bibelots anciens. Au fil de ses pérégrinations, il avait expédié des containers remplis de trésors qui meubleraient les soixante pièces de la demeure du XVIIIe siècle qu'il avait achetée dans le Yorkshire deux ans plus tôt.

A présent qu'il ne risquait plus sa vie chaque semaine sur les circuits de Formule 1, ses amis l'encourageaient à se ranger et à fonder une famille. Mais le mariage n'avait jamais figuré sur la liste de ses objectifs. Et ce n'était pas prêt de changer !

Son regard se posa de nouveau sur l'opale tandis que ses pensées vagabondaient. A propos de femmes, comment étaient les Australiennes ? Il n'avait pas encore eu le temps de se faire une idée à leur sujet.

Il avait atterri à Sydney la veille dans l'après-midi, et s'était rendu directement à l'hôtel Regency où il avait dormi comme un loir. Ce matin, après le brunch, il avait flâné dans le vestibule de l'hôtel, jetant un coup d'œil distrait aux vitrines des boutiques. Il s'apprêtait à regagner sa suite lorsque l'opale avait retenu son attention.

Et maintenant, il ne pouvait quitter des yeux la somptueuse pierre, remarquant finalement le petit écriteau fixé sur son socle.

« L'Opale noire. Unique par sa pureté, cette opale de 1260 carats sera vendue aux enchères au Bal annuel de Whitmore Opals qui se tiendra à l'hôtel Regency, le vendredi 21 juillet. Les billets seront vendus sur place ou dans les bijouteries Whitmore Opals. La reine du bal présentera également un superbe pendentif en opale estimé à vingt mille dollars. »

Une vente aux enchères, songea Royce. Le 21 juillet. D'ici là, il serait parti à Melbourne. A sa connaissance, il n'était pas interdit de formuler une offre intéressante avant la mise en vente. Il lui suffisait de proposer un montant que la direction de Whitmore Opals ne pourrait pas refuser.

Qui dirigeait la joaillerie ? Quelle somme devrait-il avancer afin d'obtenir l'objet de sa convoitise ? Royce était en train d'y songer lorsque son attention fut attirée par une femme qui se tenait devant un des comptoirs, à l'intérieur de la joaillerie. Une femme brune, avec des yeux noirs, un teint de porcelaine et un visage qui rappelait les tableaux des grands maîtres italiens. Elle était en pleine conversation avec une vendeuse.

Royce tomba aussitôt sous le charme de son visage aux traits fins, empreints de gravité. Le regard de cette femme, surtout, trahissait une grande tristesse intérieure. Jamais encore il n'avait vu un mélange aussi subtil de beauté et de froideur. Soudain, un sourire éclaira ce visage, un sourire si éclatant, si sensuel qu'il fut submergé par une onde de désir d'une violence inouïe.

Grisé par le flot d'adrénaline qui coulait dans ses veines, il l'examina discrètement à travers la vitrine, cherchant déjà par quel moyen il pourrait l'aborder. Son regard averti apprécia pleinement chaque trait de sa beauté saisissante. C'était la première fois qu'il admirait un visage aussi pur, un cou si gracile, une bouche si sensuelle. Malheureusement, les vêtements qu'elle portait dissimulaient les courbes de sa silhouette. Pourquoi une femme aussi séduisante arborait-elle une tenue aussi peu seyante ? Ce trench-coat vert était affreusement terne et la robe noire qu'il apercevait en dessous était aussi ordinaire que ses ballerines assorties.

Royce aimait la lingerie noire même si, là encore, il préférait les couleurs plus chatoyantes. Si cette femme avait été sa compagne, il l'aurait habillée de pourpre, de vert émeraude ou de turquoise. Et il aurait paré ses chevilles délicates d'escarpins à talons hauts, sexy et ultra-féminins.

Zut, elle partait !

Vif comme l'éclair, Royce entra en action. L'instant d'après, il entrait en collision avec la jeune femme à la sortie du magasin.

— Oh, je suis désolé, s'excusa-t-il en la saisissant par le coude. Je ne vous ai pas fait mal ?

— Non, non, ça va, merci.

Elle était encore plus jolie de près. Son désir pour elle s'en trouvait conforté. Si seulement ils étaient encore à l'âge de pierre… il la jetterait sur son épaule et l'emmènerait tout droit dans sa caverne !

— Je ne regardais pas devant moi, excusez-moi, reprit-il, soulagé de constater qu'elle ne portait pas d'alliance. Puis-je vous offrir une tasse de café, pour me faire pardonner ?

Les magnifiques yeux noirs de la jeune femme se posèrent sur lui, teintés de peur. Royce fronça les sourcils. Qu'avait-elle bien pu lire sur son visage pour réagir ainsi ? Il pensait pourtant avoir dissimulé ses intentions derrière un masque de courtoisie irréprochable.

— Non, merci, murmura-t-elle d'une voix tremblante. Je… je suis pressée.

Avant qu'il ait le temps de réagir, elle avait traversé le vestibule, franchi les portes vitrées et s'était engouffrée dans un taxi.

— Nom de Dieu, marmonna Royce entre ses dents.

Il détestait ce sentiment de défaite, même quand il s'agissait d'un simple coup de cœur.

Un simple coup de cœur ?

C'était une expression bien fade pour décrire la passion qui l'avait submergé à l'instant où il avait croisé ce regard sombre, impétueux. Que ne donnerait-il pas pour le voir s'emplir de plaisir ?

Une idée lui vint alors et, tournant les talons, il poussa la porte de la bijouterie.

Gemma était en train de songer à la visite impromptue de Melanie quand un toussotement discret l'arracha à ses pensées. Surprise, elle leva les yeux. Un homme se tenait de l'autre côté du comptoir. Il avait un visage volontaire, un regard bleu vif. Une barbe de deux jours assombrissait sa mâchoire carrée.

— Excusez-moi, mademoiselle, commença-t-il avec un accent britannique, cette jeune femme à qui vous parliez il y a quelques instants... la jeune femme brune, je suis sûr de l'avoir déjà rencontrée quelque part. Serait-elle anglaise, par hasard ?

— Melanie ? Oh non, elle est australienne. Enfin, je crois...

Gemma fronça les sourcils. Au fond, que savait-elle de Melanie mis à part le fait qu'elle était la gouvernante de Belleview ? Le peu qu'elle avait ouï dire de son passé malheureux était que son mari et son bébé avaient péri quelques années plus tôt dans un tragique accident de voiture.

— Dois-je comprendre que vous la connaissez... personnellement ? s'enquit le touriste britannique.

Gemma ne put s'empêcher de sourire.

— Oui. Elle travaille pour mon beau-père.

L'homme l'enveloppa d'un regard perplexe.

— Pour votre beau-père ? Vous semblez bien jeune pour être mariée.

— Et pourtant, elle l'est, intervint une voix masculine.

— Nathan ! s'écria Gemma en se tournant vers son mari.

Son enthousiasme se mua en embarras quand elle aperçut l'expression contrariée de son époux. Il n'imaginait tout de même pas que l'inconnu cherchait à la séduire... ?

— Je vous présente mon... euh, mon mari, annonça-t-elle, gênée par cette démonstration de jalousie.

Ce n'était pas la première fois qu'il se comportait ainsi parce qu'elle parlait à un autre homme. Au début, son côté possessif l'avait flattée. Il commençait maintenant à l'agacer.

— Nathan Whitmore, déclara ce dernier d'un ton glacial.

L'Anglais serra la main qu'il lui tendait.

— Royce Grantham. Enchanté.

— Il me semblait bien vous avoir reconnu, commenta Nathan. Que fait le célèbre Royce Grantham dans notre modeste ville ?

Gemma étudia l'inconnu plus attentivement. En vain : ni son nom ni son visage ne lui étaient familiers. Cela faisait deux mois qu'elle travaillait dans cette boutique de luxe et elle avait toujours autant de mal à reconnaître les célébrités qui s'y arrêtaient. Son ignorance dans ce domaine était devenue un sujet de plaisanterie pour ses collègues.

— Je suis en vacances, répondit Royce Grantham. Je viens admirer les beautés de votre ville.

— C'est ce que j'avais remarqué.

Le ton ironique de son mari mit Gemma mal à l'aise. Leur interlocuteur, lui, semblait indifférent à ce sarcasme.

— J'ai vu cette superbe opale dans la vitrine et je désirais quelques renseignements à son sujet.

Gemma reporta son attention sur l'inconnu. Il mentait. Ou, en tout cas, il déguisait la vérité. C'était pour Melanie qu'il avait franchi le seuil de la boutique.

— Je crains de ne plus être là pour la vente aux enchères, le 21, reprit-il. Je suppose que vous êtes le propriétaire de Whitmore Opals, monsieur Whitmore ?

— Non, la joaillerie ne m'appartient pas.

Comme le silence se prolongeait, Gemma décida d'intervenir.

— C'est le père de mon époux qui dirige Whitmore Opals, expliqua-t-elle, de plus en plus gênée par l'attitude de Nathan.

Royce Grantham arqua un sourcil intéressé.

— Le beau-père que vous avez mentionné tout à l'heure ?

— Absolument. M. Byron Whitmore.

— Où pourrais-je contacter ce M. Whitmore ?

Gemma lui tendit une carte de visite sur laquelle figuraient les coordonnées du siège de Whitmore Opals ainsi que celles des deux autres boutiques, situées en centre-ville.

— Nos bureaux ne sont pas très loin d'ici, expliqua-t-elle avec un sourire courtois. Byron y travaille jusqu'à 17 heures, en principe. Si par hasard il ne s'y trouvait pas, demandez à parler à sa fille, Jade, ou à M. Kyle Armstrong, le directeur du marketing.

L'Anglais lui rendit son sourire.

— Merci infiniment, madame Whitmore. Vous êtes très aimable. Monsieur Whitmore.

Il gratifia Nathan d'un petit signe de tête et se dirigea vers la porte d'un pas assuré.

Exaspérée par la froideur de son époux, Gemma évita de croiser son regard.

— J'étais passé t'inviter à déjeuner, déclara ce dernier, avant d'ajouter d'un ton moqueur : il semblerait que je sois arrivé juste à temps.

— Que veux-tu dire, au juste ?

— Va chercher ta veste, Gemma, je n'ai pas envie de me disputer en public, répliqua sèchement Nathan.

Gemma jeta un coup d'œil autour d'eux. Plusieurs clients leur jetaient des œillades intriguées tandis que le reste du personnel feignait de les ignorer. Déconcertée, elle alla récupérer sa veste et son sac à main au vestiaire.

— Je vais déjeuner, annonça-t-elle à l'adresse des deux autres vendeuses. Je serai de retour à 14 heures.

Nathan la prit par le bras et l'entraîna vers la sortie.

— Tu n'avais aucune raison de te montrer aussi impoli avec cet homme, Nathan, lança-t-elle d'un ton réprobateur lorsqu'ils émergèrent dans la rue.

— J'avais toutes les raisons du monde, au contraire, répliqua-t-il en enfonçant ses doigts dans son bras. Ne me dis tout de même pas que tu ne sais pas qui est Royce Grantham.

— C'est pourtant la vérité, j'ignore qui est cet homme. Je sais seulement qu'il est anglais. Tu le connais, toi ?

— J'ai lu des articles sur lui.

— Pourquoi, il est acteur ou quelque chose comme ça ?

Nathan partit d'un rire sans joie.

— Quelque chose comme ça, voilà. Royce Grantham a remporté le titre de champion du monde de Formule 1 deux années de suite ; il a la réputation d'être le pilote le plus casse-cou du monde automobile.

— Bon, et après ? Qu'a-t-il fait pour mériter un accueil aussi glacial ?

— Royce Grantham a également la réputation d'être un séducteur invétéré, un coureur de jupons de la pire espèce et je n'ai aucune envie de le voir tourner autour de ma femme.

Gemma frissonna. Elle commençait à détester la façon dont Nathan prononçait ces deux petits mots. Elle avait un prénom, bon sang ! Elle existait en tant qu'être humain et refusait d'être traitée comme un bel objet.

— Tu as tout faux, Nathan, objecta-t-elle d'un ton las. Je n'intéresse pas le moins du monde Royce Grantham. Si tu veux tout savoir, il est entré dans la boutique pour me questionner au sujet de Melanie.

— Melanie ?

— Oui. Elle est passée me montrer le cadeau de fiançailles qu'elle compte offrir à Jade et Kyle ; elle voulait aussi s'assurer que nous n'avions pas oublié l'invitation à dîner de Byron, ce soir. M. Grantham l'a aperçue à travers la vitrine et il lui a semblé qu'il l'avait déjà rencontrée quelque part.

— Bon sang, Gemma, comment peux-tu être aussi naïve ? C'est toi qu'il voulait rencontrer. Pourquoi diable aurait-il jeté son dévolu sur Melanie alors que tu es la femme la plus ravissante de la boutique ? C'est pourtant clair, enfin !

Nathan s'arrêta net et obligea Gemma à lui faire face. La frustration et l'inquiétude voilaient son beau visage.

— Quand vas-tu te décider à ouvrir les yeux sur ce qui t'entoure, chérie ? Nous vivons dans un monde de requins, voilà la vérité !

Gemma émit un gémissement de protestation.

— Je déteste quand tu parles comme ça, Nathan. Personnellement, je pense que la plupart des êtres humains sont foncièrement bons et je veux continuer à le croire. N'essaie pas de me changer, je t'en prie.

L'expression de Nathan s'adoucit tandis que l'amour éclairait son regard. Gemma se sentit fondre. Quand il la regardait ainsi, elle lui pardonnait tout, y compris sa jalousie féroce et sa conception cynique du monde.

— Je n'en ai jamais éprouvé l'envie, mon amour, murmura-t-il en prenant son visage en coupe pour déposer un baiser sur ses lèvres.

Il s'écarta légèrement avant de l'embrasser plus fougueusement.

— Nathan, nous sommes dans la rue ! protesta Gemma en s'arrachant à son baiser.

— Et alors ?

— Tu aimes me mettre dans l'embarras, n'est-ce pas ?

— J'aime m'assurer que je suis toujours capable de le faire, corrigea-t-il d'un ton suave. Allons déjeuner, d'accord ? J'ai hâte de savoir ce que Melanie faisait en ville… cette femme ne met jamais le nez dehors sauf le dimanche, pour rendre visite à son frère !

Melanie régla le chauffeur de taxi et courut vers la maison, soulagée de regagner enfin Belleview.

Ce type ne manquait pas de toupet, songea-t-elle, légèrement essoufflée. Avait-il cru qu'elle ne verrait pas clair dans son jeu, qu'elle n'avait encore jamais rencontré de séducteur comme lui ?

Mais ce n'était pas là le pire... le pire, c'étaient les sensations qu'il avait fait naître en elle sur le moment. Pendant quelques instants de pure folie, elle avait eu envie d'accepter sa proposition.

Au prix d'un effort, elle avait réussi à ignorer ce constat pendant le trajet en taxi, préférant donner libre cours à des sentiments tels que la colère et l'indignation, mais à présent qu'elle se retrouvait seule, elle ne pouvait plus se voiler la face.

Oui, elle l'avait trouvé séduisant. Oui, l'intérêt qu'il lui avait manifesté l'avait flattée. Et oui, elle avait été tentée d'accepter son invitation à prendre un café... peut-être plus, si affinités.

Un gémissement s'échappa de ses lèvres. Jamais elle n'aurait cru qu'un homme puisse de nouveau éveiller en elle des sensations aussi intenses ; pour elle, les choses étaient claires : son émotivité avait disparu en même temps que son mari et son bébé. Après ce qui s'était passé avec Joel, elle s'était juré de se méfier des hommes, et au cours de ces dernières années, aucun incident n'avait perturbé le vide sensuel et émotionnel dans lequel elle se complaisait.

Jusqu'à ce jour...

Le visage de l'inconnu, viril et séduisant, et son regard bleu, incroyablement perçant, traversèrent son esprit. Un frisson lui parcourut l'épine dorsale. C'était absurde, à la fin ! Elle ne l'avait vu que quelques instants, il ne s'agissait que d'un coup de cœur, un moment d'égarement totalement isolé. Melanie s'accrocha désespérément à ce fragile espoir. Elle ne reverrait plus cet homme. Sydney comptait quatre millions d'habitants, elle ne sortait presque jamais, il y avait donc peu de chance que leurs chemins se croisent de nouveau. De plus, elle avait cru percevoir dans sa voix des intonations britanniques. Il s'agissait probablement d'un touriste de passage qui ne remettrait plus les pieds à Sydney.

Rassérénée, Melanie inspira profondément et traversa le vaste hall d'entrée. Le marbre étincelait tout autour d'elle. En passant devant l'immense miroir italien encadré d'arabesques dorées, elle s'arrêta et retint son souffle.

Etait-ce bien elle, cette créature aux pommettes rosies par l'émotion, au regard sombre et ardent comme la braise ?

Une exclamation de surprise s'échappa de ses lèvres et elle s'agrippa fébrilement à la console installée sous le miroir.

— Melanie ! Ça ne va pas ?

Au prix d'un effort, Melanie se composa une expression neutre avant de se tourner vers la voluptueuse jeune femme qui descendait l'escalier.

— Ce n'est rien, juste un petit coup de fatigue, mentit-elle. Ça ira mieux dans une heure ou deux.

— Vous n'auriez pas dû aller faire les courses, reprit Ava d'un ton gentiment réprobateur, j'aurais très bien pu m'en charger à votre place. Oups…

Le pied d'Ava glissa sur la dernière marche et elle vacilla dangereusement, sous le regard hébété de Melanie. Au grand soulagement de cette dernière, elle se rattrapa de justesse à la balustrade et retrouva l'équilibre. Agée d'une trentaine d'années, souffrant d'un problème de poids, Ava Whitmore frôlait en permanence l'accident. Il ne se passait pas un jour sans qu'elle fît une chute, bousculât quelqu'un ou brisât quelque chose.

Melanie se sentait pleine de compassion pour la sœur cadette de son employeur. Ava passait ses journées à peindre des aquarelles qu'elle ne terminait jamais et ses soirées à regarder des films à la télévision. Elle n'avait jamais vraiment travaillé ; elle n'avait jamais eu non plus de relation suivie avec un homme. Byron l'avait pourtant présentée à quelques-unes de ses connaissances, des séducteurs cupides et sans scrupules qui n'avaient fait que piétiner son amour-propre déjà vulnérable. Ces expériences malheureuses l'avaient poussée à se couper du monde extérieur.

Ava était pourtant une jeune femme sympathique et généreuse. Elle avait un joli visage, avec de grands yeux bleus et une bouche au contour délicat. Il lui suffirait de perdre quelques kilos et de ne plus s'obstiner à teindre en roux ses beaux cheveux châtains, pour être tout à fait séduisante.

Quelle ironie du sort ! songea soudain Melanie. Comment pouvait-elle souhaiter pour Ava un bonheur improbable alors que sa propre expérience s'était soldée par un échec ? Ava n'avait-elle pas raison de se protéger ainsi ? Melanie était d'une nature plus volontaire et pourtant l'homme qu'elle avait aimé, celui en qui elle avait placé toute sa confiance, avait brisé sa vie, en même temps qu'il avait anéanti sa capacité à aimer et à faire confiance.

Elle avait également cru que Joel avait tué tout désir en elle, mais il semblerait qu'elle se soit trompée, songea-t-elle avec un frisson de dégoût.

— Suivez-moi, ordonna Ava en la prenant par le coude, je vais vous préparer une tasse de thé pendant que vous vous reposerez un peu.

18

Melanie se laissa faire sans protester. Quelques minutes plus tard, elle était assise au comptoir de la cuisine et Ava s'affairait dans la pièce, renversant au passage le sucrier et rattrapant au vol une tasse qui lui avait échappé des mains.

— Qu'est-ce qui m'arrive, aujourd'hui ? murmura-t-elle, légèrement essoufflée.

Finalement, le thé fut servi et Ava se hissa sur un tabouret pour boire le sien qu'elle accompagna de quelques biscuits au chocolat. Malgré l'envie qui la tenaillait, Melanie s'abstint de tout commentaire sur les méfaits des sucreries.

— Que pensez-vous des fiançailles précipitées de Jade avec Kyle Armstrong ? demanda-t-elle finalement. J'ai entendu dire qu'elle allait emménager avec lui.

Ava haussa les épaules.

— Les jeunes n'ont plus la patience d'attendre, de nos jours. Mais si Jade est heureuse ainsi... Elle a traversé une épreuve difficile, avec le décès de sa mère dans ce tragique accident de bateau.

— C'est vrai, admit Melanie d'un ton laconique.

Au fond d'elle pourtant, elle ne pouvait s'empêcher de penser que Jade serait plus heureuse sans sa mère. Névrosée, agressive et ingrate, cette dernière avait passé plus de temps dans des maisons de repos qu'auprès de sa fille et de son époux. Irene Whitmore séjournait d'ailleurs dans un de ces centres quand elle-même avait accepté le poste de gouvernante que lui avait proposé Byron. Elle aurait refusé de travailler à Belleview si Mme Whitmore avait été chez elle à l'époque ; Melanie ne supportait pas de voir une mère traiter sa fille avec autant de mépris. N'était-elle pas consciente de la chance qu'elle avait d'avoir un enfant ? Heureusement, Jade possédait un sacré tempérament. Une jeune femme plus fragile aurait certainement été brisée par les critiques et les sarcasmes permanents d'Irène Whitmore.

Quant au père de Jade... Byron Whitmore faisait partie de cette génération de patriarches omnipotents, autoritaires et phallocrates. L'adolescence mouvementée de sa fille l'avait totalement désarçonné : il n'avait pas su décrypter la véritable signification de ses provocations répétées. Irène exerçait sa tyrannie sur Jade de manière si insidieuse, si habile que Byron ne s'était jamais aperçu de rien. Au fond, il n'était guère étonnant que la jeune femme ait finalement décidé d'aller chercher ailleurs l'amour et l'affection dont elle avait besoin.

Kyle avait fait irruption dans sa vie au bon moment. Le nouveau directeur du marketing de Whitmore Opals incarnait tout ce dont elle rêvait. A la fois volontaire et débordant de tendresse, il avait guéri Jade de son béguin pour Nathan — un homme que toutes les jeunes filles auraient dû éviter.

Inévitablement, les pensées de Melanie se focalisèrent sur le récent mariage de Nathan avec Gemma. Elle fronça les sourcils. Gemma était follement amoureuse de son époux ; l'admiration qu'elle lui portait crevait les yeux. Du haut de ses vingt ans, fraîchement débarquée de sa province natale, Gemma était aussitôt tombée sous le charme de cet élégant trentenaire aux manières raffinées.

Conquis par la beauté et la fragilité de la jeune femme, Nathan avait créé la stupeur en la demandant en mariage. Même son ex-femme était tombée des nues ; divorcé depuis à peine deux ans, il avait toujours juré qu'il ne se remarierait jamais. A l'annonce de la nouvelle, sa fille, Kirsty, n'avait pas caché son mécontentement, elle qui continuait à espérer secrètement la réconciliation de ses parents. Un espoir aussi vain que puéril, lorsqu'on savait que le couple n'avait jamais été amoureux. C'était en tout cas ce qu'avait confié Ava à Melanie quand Lenore et Nathan avaient décidé de mettre un terme à leur mariage.

— Je parierais davantage sur le mariage de Jade et Kyle que sur celui de Nathan et Gemma, déclara soudain Ava, comme si ses pensées avaient suivi le même cheminement que celles de Melanie.

— La simple différence d'âge me ferait dire la même chose, renchérit Melanie. Quinze ans séparent Gemma de Nathan contre... combien, six ou sept ? Quel âge a Kyle, au juste ?

— Vingt-huit ans, je crois.

— Cela dit, Gemma avait l'air très heureuse quand je l'ai vue en ville, tout à l'heure.

— Leur mariage est encore tout récent. Attendez un peu que Nathan révèle sa vraie personnalité.

L'amertume d'Ava étonna Melanie. Etait-il possible qu'elle se soit elle aussi entichée de Nathan par le passé ? Bien qu'insensible à son sex-appeal, Melanie avait eu l'occasion de constater ses effets ravageurs sur d'autres femmes. En tant qu'individu, Nathan demeurait pour elle une véritable énigme. Que cachait-il derrière son masque de froide élégance ? Quel genre d'homme était-il vraiment ?

— Parlez-moi un peu de lui, Ava, demanda-t-elle d'un ton faussement détaché en sirotant son thé. Il avait seize ans quand Byron l'a adopté, n'est-ce pas ?

— Il venait d'avoir dix-sept ans, corrigea sa compagne. Il était déjà très mûr, pour son âge. Ce qui n'a rien d'étonnant, vu le genre de vie qu'il menait, ajouta-t-elle avec une pointe de sarcasme.

— Que voulez-vous dire par là ?

— Nathan était un gamin des rues ; il vivait de petites combines... et se servait aussi de son corps.

Melanie se redressa, stupéfaite.

— Ne me dites pas que Nathan était obligé de vendre son corps pour vivre ?

Ava haussa les épaules.

— Non, ce n'était pas vraiment ça. Selon Byron, Nathan vivait avec une femme de quarante ans quand il l'a pris sous son aile... n'est-ce pas une certaine forme de prostitution ?

— Ce n'était qu'un adolescent, Ava. C'est plutôt cette femme qu'il faut condamner, pas Nathan ! De plus, il me semble que Byron n'aurait jamais introduit dans son foyer quelqu'un de foncièrement mauvais.

— Mon frère est parfois très naïf. Nathan lui est apparu comme un gamin à la dérive, un jeune type en quête de chaleur et de stabilité et il s'est senti obligé de lui venir en aide. Je dois reconnaître que Byron peut être fier de son protégé. Nathan a travaillé dur pour s'intégrer au monde de la joaillerie et ses pièces de théâtre ont conquis les critiques en un clin d'œil. Dieu seul sait pourquoi, d'ailleurs. Elles sont tellement... excessives.

— Je n'en ai vu aucune. Qu'ont-elles d'excessif ?

— Les personnages frôlent la caricature. Ce sont tous des écorchés vifs, incapables de dominer leurs émotions. Les intrigues elles-mêmes sont pleines de violence et de cruauté. Ses pièces ne divertissent pas, elles dérangent. Je n'en ai vu qu'une seule et croyez-moi, cela m'a suffi.

— C'est étrange... Nathan semble pourtant parfaitement maître de ses émotions, murmura Melanie d'un air songeur.

— Exact. Bizarre, n'est-ce pas ?

— Mmm...

Ava exhala un soupir.

— Ce type est une énigme, je l'admets. Malgré tout, il a toujours été un bon père pour Kirsty, et puis il a épousé Gemma. Même si je me demande parfois s'il ne l'a pas fait pour Byron.

— Pourquoi ? intervint Melanie, intriguée.

— Byron est bourré de principes, vous n'êtes pas sans le savoir, et Nathan tient avant tout à rester dans ses petits papiers. Plusieurs idylles ont tourné court mais Byron n'en a jamais rien su et ce n'était certainement pas à moi de le mettre au courant. Cette fois-ci, il a voulu se ranger pour faire plaisir à mon frère. Enfin, je fais peut-être fausse route. Il se pourrait que Nathan ait changé et qu'il soit sincèrement amoureux de Gemma. C'est mon seul espoir. Mais ne dit-on pas : « chassez le naturel, il revient au galop » ?

Un silence songeur s'installa entre elles, bientôt brisé par la sonnerie du téléphone.

— J'y vais, lança Melanie. Belleview, annonça-t-elle en soulevant le combiné.

— Melanie ? Byron à l'appareil. Nous aurons un invité supplémentaire au dîner de ce soir. J'espère que cela ne vous causera pas de souci.

— Non, bien sûr que non.

— Désolé de vous avertir si tard. Bon, je vous laisse, j'ai encore un dossier important à régler et je ne voudrais pas m'éterniser au bureau.

Il raccrocha et Melanie leva les yeux au ciel.

— Que se passe-t-il ? demanda Ava. Un problème ?

— Non. Byron voulait simplement me demander d'ajouter un couvert.

— Oh ? De qui s'agit-il ?

— Un invité, il ne m'a rien dit d'autre. Bon, si je ne m'y mets pas tout de suite, il n'y aura pas de dîner ce soir.

— Je peux vous donner un coup de main, si vous voulez, proposa Ava.

— Oh… euh… non, je vais me débrouiller toute seule, Ava, merci quand même. Rita ne va pas tarder à arriver ; elle dressera la table et fera le service. Allez plutôt vous préparer. Et faites-vous belle, ajouta-t-elle avec un sourire espiègle. Qui sait… L'invité mystère de Byron est peut-être un séduisant célibataire !

— Même si c'était le cas, il ne me regarderait même pas, marmonna Ava.

— Cessez de vous sous-estimer, Ava, je vous en prie. Vous avez plein de choses à offrir à un homme.

— A part mon argent, je ne vois rien, désolée.

— C'est faux, enfin ! Vous êtes une jeune femme très séduisante.

— Je suis trop ronde. Les hommes préfèrent les créatures longilignes et sophistiquées.

— Ce ne sont que des idiots.

Le ton amer de Melanie surprit Ava. Jamais encore elle ne l'avait entendue décréter quelque chose avec autant de véhémence. A bien y réfléchir, Melanie semblait différente, tout à coup. Elle paraissait… étrangement agitée. Et l'excuse qu'elle avait invoquée lorsque Ava l'avait surprise dans le hall ne tenait pas debout. Non… il avait dû se passer quelque chose pendant son expédition en ville, quelque chose qui l'avait perturbée.

Au prix d'un effort, Ava refoula les questions qui lui brûlaient les lèvres. La gouvernante de Byron n'aimait guère se confier et Ava ne voulait surtout pas la mettre mal à l'aise. Etouffant un soupir, elle se laissa glisser de son tabouret avant de quitter la pièce.

2.

A 18 h 30, ce soir-là, Melanie se félicita d'avoir choisi un menu relativement facile à concocter car elle avait un mal fou à se concentrer.

Les raisons de cette distraction inhabituelle étaient, hélas, claires comme de l'eau de roche : l'homme qui l'avait bousculée à la sortie de la bijouterie refusait de quitter son esprit.

— Qu'il aille au diable, bougonna-t-elle en refermant d'un coup sec le tiroir à couverts.

— J'espère que vous ne parlez pas de moi.

Melanie fit volte-face comme Byron pénétrait dans la cuisine, un sourire amusé aux lèvres.

— Vous rentrez tôt pour un vendredi, fit-elle observer, éludant le commentaire de son employeur.

— Je voulais être prêt avant l'arrivée de Royce. Je lui ai dit de venir à 19 heures afin de pouvoir bavarder un peu avec lui en privé.

Il traversa la pièce en dénouant sa cravate.

— Veillez à ce que les deux seaux à glace du salon soient pleins, d'accord, Melanie ?

Il disparut avant qu'elle ait le temps de répondre. Depuis qu'il s'était remis de sa blessure à la jambe, il débordait d'énergie, et son esprit semblait aussi alerte que son physi-

25

que. Il fêterait bientôt son cinquantième anniversaire mais paraissait beaucoup plus jeune. Byron était un homme très séduisant. Auréolé d'une épaisse tignasse brune parsemée de fils d'argent, il possédait un corps parfaitement découplé et un dynamisme qu'un trentenaire aurait pu lui envier.

Une question surgit soudain dans l'esprit de Melanie. Avec qui Byron assouvissait-il ses désirs physiques, ces temps-ci ?

Elle fronça les sourcils, gagnée par une bouffée d'irritation. Comment de telles pensées pouvaient-elles traverser son cerveau ? C'était la faute de cet inconnu, évidemment ! De cet inconnu, de son sex-appeal et de ses désirs malsains !

Malsains ?

Melanie secoua la tête. Jamais elle n'avait considéré l'amour physique comme quelque chose de sale ou de malsain. Au contraire, elle avait toujours aimé faire l'amour, dès les premières étreintes partagées avec son petit ami, au lycée.

Un sourire empreint de nostalgie étira ses lèvres pleines. Il s'appelait Grant, c'était un garçon doux et timide. Ils se fréquentaient depuis deux ans lorsqu'ils avaient fait l'amour pour la première fois. Les caresses de Grant étaient hésitantes et maladroites, mais elle avait apprécié le contact de ses mains sur son corps, la chaleur de sa peau, l'intimité de leur union.

Elle avait continué à le voir tout au long de l'année qu'elle avait passée dans une école de secrétariat. Puis elle avait décroché un poste d'assistante au sein d'une agence de publicité américaine installée à Sydney, Eagles Advertising Agency. Là, elle avait été repérée par Joel Lloyd, un jeune publicitaire aussi ambitieux que talentueux. Dès l'instant où Joel avait jeté son dévolu sur Melanie Foster, le pauvre Grant avait disparu de la scène.

Un goût amer lui emplit la bouche tandis qu'elle se remémorait le fossé qui séparait ses deux amants. Il avait fallu deux ans à Grant avant de trouver le courage de lui faire l'amour. Joel, lui, l'avait séduite dans la réserve de l'agence deux semaines après qu'ils avaient été présentés. Et cette fois-là, elle avait atteint le paroxysme du plaisir !

Joel était ainsi. Il aimait prendre des risques, il fonçait tête baissée alors que d'autres restaient à l'écart, hésitants. Déterminé et intrépide, il allait jusqu'au bout de ses envies, coûte que coûte. Quel dommage qu'elle ne s'en soit pas rendu compte plus tôt ! Son bébé serait peut-être encore en vie, si elle avait réagi à temps...

Parcourue d'un violent tremblement, elle fit un effort pour se ressaisir. Elle devait absolument se concentrer sur le présent. Nul doute que l'étincelle sensuelle qu'avait allumée cet homme s'éteindrait rapidement ; elle y veillerait, en tout cas, car le désir rendait les femmes vulnérables. Pas question de tomber dans cet écueil.

Melanie termina les préparatifs du repas, douloureusement consciente de son corps sous la jupe noire et le corsage blanc. Ses seins lui semblaient tout à coup gonflés dans leur prison de dentelle et elle sentait à chacun de ses pas le frottement des bas qui enserraient le haut de ses cuisses. Comment se concentrer dans ces conditions ? C'était tout simplement impossible !

Pour couronner le tout, Rita venait de l'avertir qu'elle ne pourrait pas venir ce soir. Son fils de quinze ans avait attrapé la varicelle et elle préférait rester auprès de lui en l'absence de son mari. Melanie aurait pu essayer de joindre l'une des extras qui venaient l'aider ponctuellement mais elle aurait perdu autant de temps à compulser son agenda qu'à s'occuper du repas seule. En temps normal, organiser un repas pour sept personnes était un jeu d'enfant, mais ce soir-là, avec sa concentration défaillante et ses pensées vagabondes, c'était un véritable parcours du combattant !

Que lui avait demandé Byron en passant, tout à l'heure ? Ah oui, remplir les seaux à glace du salon… Melanie alla les chercher et regagna la cuisine d'un pas pressé. Elle était en train de les garnir de glaçons quand le carillon de l'entrée retentit. L'horloge murale indiquait 18 h 55 ; l'invité de Byron était en avance. Melanie se hâta dans le salon en maugréant ; elle replaça les seaux de glace dans le bar et se précipita dans le hall. D'un geste mécanique, elle lissa ses mèches rebelles et n'eut même pas le temps d'afficher un sourire poli avant d'ouvrir la porte.

Aucune importance, car il se serait figé instantanément.

— Vous ! s'exclama-t-elle, les yeux écarquillés de stupeur. Que… que faites-vous ici ? Ne me dites tout de même pas que vous m'avez suivie… !

Melanie se rendit compte trop tard que l'importun arborait un smoking. Quand il l'avait bousculée quelques heures plus tôt, il portait un jean délavé et un blouson en cuir vieilli. Aurait-il pris le soin de se changer avant de se lancer à sa poursuite ? Aurait-il attendu tout ce temps avant de sonner à la porte ? Probablement pas.

La réalité lui apparut soudain, accompagnée d'un vif sentiment d'embarras.

— Vous êtes l'invité surprise de Byron, murmura-t-elle en réprimant une grimace, furieuse contre le sort si facétieux. Royce Je-ne-sais-quoi…

A son grand désarroi, l'inconnu partit d'un rire amusé.

— C'est bien moi, en effet, Royce Je-ne-sais-quoi.

Luttant contre une nouvelle bouffée d'agacement, Melanie précisa :

— Byron ne m'a pas indiqué votre nom de famille.

28

— Il ne m'a pas dit le vôtre non plus. C'est Melanie comment ?

Ses yeux bleu vif, incroyablement perçants, cherchèrent les siens et, à cet instant, elle sut que son instinct ne l'avait pas trompée. Il l'avait bel et bien suivie. Il ne s'agissait en aucun cas d'une coïncidence. Cet homme faisait partie de ceux qui ne reculaient devant rien pour obtenir ce qu'ils souhaitaient, et à ce titre il était infiniment dangereux. Elle ignorait comment il s'était débrouillé pour savoir où elle habitait et pour se faire inviter au dîner de ce soir, mais il était parvenu à ses fins. C'était un autre Joel, ce Royce Je-ne-sais-quoi.

Malheureusement pour elle, ce genre d'homme continuait à la faire vibrer… de tout son être.

Elle retint son souffle tandis que son regard glissait sur lui, comme hypnotisé.

Le costume lui conférait une élégance distinguée et mettait en valeur son grand corps musclé. Son épaisse tignasse châtaine avait été lissée au gel, dégageant son front haut et volontaire. La barbe naissante qui ombrait son visage un peu plus tôt avait disparu sous la lame du rasoir et une bouffée d'after-shave épicé enveloppa Melanie. Pourtant, malgré son allure raffinée, il émanait de lui une sorte de beauté sauvage, infiniment troublante.

C'étaient ses yeux qui le trahissaient. Leurs profondeurs bleutées étaient le miroir de son âme. Et son âme était celle d'un homme tourmenté et dangereux, un homme qui n'acceptait pas l'échec. Melanie ne connaissait que trop bien ce tempérament masculin.

Elle se redressa, prête à affronter cet homme et son charme ravageur. Chat échaudé craint l'eau froide… elle était bien décidée à ne rien trahir de son émoi.

— Melanie Lloyd, répondit-elle finalement d'un ton abrupt. Je suis la gouvernante de Belleview. J'ai trente-deux ans, je suis veuve et je refuse toutes les invitations à dîner. Toutes sans exception. Me suis-je bien fait comprendre, monsieur Royce Je-ne-sais-quoi ?

— Absolument. Pour votre information, je m'appelle Royce Grantham ; j'ai trente-six ans et je suis célibataire. Personnellement, j'aime beaucoup sortir. Pour finir, j'ajouterai que vous êtes la femme la plus attirante qu'il m'ait été donné de rencontrer.

Le sourire sarcastique de Melanie aurait fait fuir un grand nombre d'hommes, et les plus obstinés seraient partis en entendant les intonations acides de sa voix.

— Comme c'est original, monsieur Grantham. Entrez, je vous en prie. Nul doute que Byron doit avoir hâte de profiter de votre compagnie si divertissante. Me permettez-vous cependant de vous donner un petit conseil ? Byron n'apprécie pas la flagornerie, alors vous feriez mieux de réprimer votre tendance à l'exagération.

— On dirait que vous le connaissez bien, je me trompe ? dit Royce en pénétrant dans le hall d'entrée.

Une nouvelle bouffée d'exaspération envahit Melanie. Que sous-entendait-il, au juste ? Se remémorant sa promesse, elle réprima la réplique cinglante qui lui brûlait les lèvres et lui présenta à la place un sourire glacé.

— Cela fait deux ans que je travaille au service de M. Whitmore ; j'ai eu maintes fois l'occasion d'apprécier ses qualités d'homme honnête et respectable. Si vous voulez bien me suivre, monsieur Grantham : je vous laisserai vous installer dans le salon puis j'irai chercher le maître de maison.

Elle s'éloigna, le cœur battant. Une sensation de vertige la tenaillait et elle dut s'arrêter au pied de l'escalier pour recouvrer son calme. Royce Grantham n'avait pas ajouté un mot, mais elle avait senti la brûlure de son regard dans le creux de sa nuque lorsqu'elle avait quitté le salon.

Pourquoi diable s'intéressait-il à elle ? L'époque où l'on se retournait sur elle dans la rue était depuis longtemps révolue. Cela arrivait pourtant fréquemment, aux premiers temps de son mariage avec Joel. Homme de goût et de raffinement, ce dernier avait su transformer la ravissante jeune femme qu'il avait épousée en beauté fatale. Il l'avait parée de couleurs vives, de tenues à la fois simples et audacieuses. C'était aussi l'époque où sa longue chevelure brune cascadait librement dans son dos.

Une époque bel et bien révolue... Aujourd'hui, Melanie n'attachait plus d'importance à son apparence. Elle portait des tenues informes, souvent noires. Elle ne se maquillait plus et rassemblait ses cheveux en un chignon sévère. Si cela ne suffisait pas à refroidir les ardeurs d'un quelconque prétendant, ses airs distants, presque dédaigneux, tuaient dans l'œuf toute tentative d'approche.

Pourtant, inexplicablement, quelque chose en elle avait attiré cet homme. Et de toute évidence, il ne semblait pas prêt à renoncer à son objectif. Il aurait même toutes les audaces pour obtenir ce qu'il souhaitait.

C'était précisément l'audace qui la troublait le plus.

Parce que l'audace l'avait jadis attirée comme un aimant. Irrésistiblement.

— Est-ce le carillon que je viens d'entendre ?

Melanie leva les yeux vers Byron qui descendait l'escalier d'un pas pressé. Vêtu lui aussi d'un smoking, il était beaucoup plus beau, au sens classique du terme, que l'homme qu'elle avait laissé dans le salon. Dans ce cas, pourquoi n'était-elle pas sensible à son charme ? Pourquoi son regard bleu, pourtant si sexy, ne la faisait-il pas frissonner ?

— Melanie ?

Byron s'immobilisa à côté d'elle et posa la main sur son épaule, soudain inquiet.

— Tout va bien, ma chère ?

Melanie se raidit. Tout comme son regard, son contact la laissait de marbre.

Elle se força néanmoins à sourire.

— Excusez-moi, j'étais dans les nuages. C'était le carillon, en effet. M. Grantham vous attend dans le salon. Il ne voulait rien boire avant votre arrivée.

— Très bien, dit Byron en redressant son nœud papillon. Alors Melanie, donnez-moi vos impressions sur le célèbre Royce Grantham… ?

— Célèbre ? répéta-t-elle sans comprendre.

Une lueur d'amusement traversa le regard du maître de maison.

— Ne me dites pas que vous ne savez pas qui il est… Vous êtes bien une femme ! Je parie qu'Ava ne le reconnaîtra pas non plus. Pour votre information, Royce Grantham a été sacré deux années de suite champion du monde de Formule 1. Il s'est retiré de la course automobile il y a deux ans, alors qu'il était au sommet de sa gloire.

— Pourquoi l'avez-vous invité ce soir ? demanda Melanie, la gorge sèche.

— Il parcourt le monde depuis quelques mois et il semblerait qu'il ait développé une passion pour les beaux objets au cours de ses voyages. De passage à Sydney, il a repéré l'Opale noire dans la boutique de l'hôtel et il est aussitôt venu me voir pour tenter de l'acheter avant la vente aux enchères. Une bataille perdue d'avance, j'en ai peur. Mais devant son insistance, je l'ai invité à dîner ce soir pour écouter ses arguments. Et puis, qui sait ? Je réussirais peut-être à lui vendre une autre de nos opales à la place. Il est assez riche pour se permettre ce genre de folie.

Sur ce, il s'éloigna sous le regard incrédule de Melanie. Un champion du monde de Formule 1… Elle aurait pu le deviner. Cet homme aimait prendre des risques, cela sautait aux yeux. Une tête brûlée en quête d'émotions fortes, voilà ce qu'il était !

Les battements de son cœur s'accélérèrent et elle battit en retraite dans sa cuisine, bien décidée à y rester jusqu'à ce que sa présence fût nécessaire.

Son répit fut de courte durée : à 19 h 40, le carillon sonna de nouveau et elle alla ouvrir, la mine sombre. Elle eut un choc en croisant Ava dans le hall. Cette dernière portait un élégant tailleur-pantalon de soie bleu roi dont les lignes fluides dissimulaient à merveille ses rondeurs.

— Ava, vous êtes superbe ! s'écria-t-elle avec entrain. C'est nouveau, n'est-ce pas ?

Ava rougit de plaisir.

— Vous aimez, c'est vrai ? J'ai acheté ça dans une boutique pour les femmes rondes que Lenore m'a indiquée. Je crois que je vais me laisser tenter plus souvent.

— Vous auriez tort de vous priver. Cette tenue vous va à ravir.

Le carillon retentit de nouveau.

— C'est peut-être l'invité surprise de Byron, murmura Ava d'un ton plus assuré.

Melanie secoua la tête.

— Non, il est arrivé il y a une demi-heure.

— Ah bon ? Doux Jésus, il était très avance ! De quoi a-t-il l'air, dites-moi tout… sauf qu'il est moche comme un pou, je vous en supplie, Melanie !

— Ce n'est pas ainsi que je le décrirais. C'est un fou du volant, un ancien champion du monde de Formule 1, d'après ce que m'a dit Byron, répondit Melanie d'un ton sec.

Le visage d'Ava s'éclaira.

— Il est italien ?

— Non, désolée. Royce Grantham est anglais. Excusez-moi, Ava, je dois vraiment aller répondre. Byron et M. Grantham prennent l'apéritif dans le salon, allez les rejoindre.

— Je vais plutôt me mêler aux nouveaux arrivants, répondit Ava.

Melanie ouvrit la porte aux deux couples qui attendaient sur le perron : Nathan et Gemma d'un côté, Kyle et Jade de l'autre.

Tous quatre formaient un tableau saisissant. Il y avait d'abord Nathan, d'une élégance sobre dans son costume impeccablement coupé et Gemma, vêtue d'une robe en velours carmin qui accentuait sa sensualité naturelle. Tout en noir, Kyle était infiniment séduisant et Jade tout simplement éblouissante dans une robe rouge qui épousait chaque courbe de sa sculpturale silhouette.

Melanie comprenait mieux le désarroi d'Ava, contrainte d'évoluer au sein d'une famille si sophistiquée. Ce soir-là, en tout cas, la sœur de Byron pouvait rivaliser avec les siens. Ce bleu lui allait décidément à ravir.

Les compliments qu'elle lui avait adressés avaient d'ailleurs dû renforcer la confiance d'Ava car ce fut d'un pas assuré que celle-ci s'approcha du petit groupe. Après avoir distribué des bises à tout le monde, elle félicita chaleureusement les nouveaux fiancés, Jade et Kyle.

Melanie se joignit au chœur des félicitations en rangeant les manteaux au vestiaire puis, dès que l'occasion se présenta, elle entraîna Jade vers la console sur laquelle elle avait déposé son cadeau de fiançailles.

34

— Je n'ai pas pu résister, expliqua-t-elle en lui tendant le joli paquet enrubanné.

La surprise se lut sur le visage de la jeune femme.

— Melanie, vous êtes adorable ! Tu entends ça, chéri, Melanie nous a offert un cadeau de fiançailles ! ajouta-t-elle à l'adresse de Kyle qui s'approchait en souriant.

— C'est très gentil de votre part, Melanie.

Le cadre en argent délicatement ciselé leur plut beaucoup.

— J'ai pensé que vous pourriez y mettre une de vos photos de mariage, suggéra-t-elle. Avez-vous déjà fixé la date de ce grand jour ?

Jade coula un regard timide en direction de son fiancé.

— C'est pour bientôt, je crois, murmura-t-elle.

— Très bientôt, renchérit Kyle.

Elle partit d'un éclat de rire, les yeux rivés sur son bien-aimé.

— Peut-être nous marierons-nous en secret, comme Gemma et Nathan...

— Byron préférerait certainement accompagner sa fille unique à l'autel, intervint Kyle avec douceur.

— A propos de Byron, intervint Ava, vous ne devinerez jamais qui est avec lui dans le salon !

Elle balaya le petit groupe du regard, telle une petite fille brûlant d'envie de révéler un secret.

— Tu as raison, Ava, nous ne devinerons jamais, plaisanta Nathan, alors dis-nous tout. Mais je te préviens, s'il s'agit de Celeste Campbell, je ne te croirai pas.

— Moi non plus, renchérit Jade en riant.

Melanie aurait aimé connaître les raisons de la vieille querelle qui opposait Byron à Celeste Campbell. La haine que vouait son employeur à la demi-sœur de sa défunte épouse — qui était aussi sa principale rivale en affaires — n'avait d'égale que sa réticence à parler d'elle. Son nom était presque tabou sous ce toit !

— Ne soyez pas ridicule, vous deux, lança Ava d'un ton réprobateur. Les poules auront des dents avant que Byron ne se décide à inviter Celeste Campbell à Belleview. Non, il s'agit de Royce Grantham. Vous savez… le pilote anglais, champion du monde de Formule 1 !

— C'est vrai ? s'écria Jade avec entrain.

Elle semblait être la seule à se réjouir de la nouvelle. Kyle fronçait les sourcils tandis que Nathan foudroyait Gemma du regard. Byron n'aurait pas dû inviter un inconnu, si célèbre fût-il, à un dîner de famille, songea Melanie. Hélas, la psychologie n'était pas le point fort du maître des lieux.

Indifférente à la tension qui s'était abattue sur le petit groupe, Jade glissa une main sous le bras d'Ava.

— J'ai déjà lu des articles sur lui. C'est un vrai coureur de jupons, paraît-il. Fais attention à toi, tante Ava. Tu es ravissante ce soir, dans cet ensemble bleu. Te serais-tu mise au régime, par hasard ?

— Pas vraiment, non.

— En tout cas, tu es resplendissante et je crois bien que je vais rester auprès de toi pour décourager les manœuvres de séduction de M. Grantham. A moins que tu ne sois consentante, évidemment !

Sans laisser aux autres le temps de réagir, Jade entraîna Ava dans le salon. Nathan poussa Gemma devant lui tandis que Kyle fermait la marche, la mine contrariée.

Manifestement, Melanie n'était pas la seule à voir d'un mauvais œil la présence de Royce Grantham. Cela ne changeait rien, hélas. Il était bel et bien là et elle serait obligée de le supporter toute la soirée. Il ne lui restait plus qu'à essayer de dissimuler sa nervosité derrière un semblant de calme et de courtoisie.

Elle s'apprêtait donc à composer un difficile numéro d'actrice... car Royce Grantham était loin de la laisser indifférente.

3.

Gemma n'arrivait pas à le croire !

Nathan, au contraire, n'était pas du tout étonné.

Juste avant de franchir le portail qui menait à Belleview, il reprochait encore à sa jeune épouse son incroyable naïveté en ce qui concernait les hommes. Elle s'était moquée de lui lorsqu'il avait laissé entendre que Royce Grantham tenterait de la revoir et pourtant... il ne s'était pas trompé : le pilote avait réussi à se faire inviter par Byron, le soir même de leur rencontre — à ceci près que, contrairement à ce que s'imaginait Nathan, c'était non pour la revoir elle, mais pour revoir Melanie. Sur ce point, Gemma n'avait aucun doute.

Hélas, Nathan ne voulait rien savoir ; il avait refusé de la croire lorsque, plus tôt dans la journée, elle avait tenté de lui expliquer que c'était Melanie qui intéressait Royce. Naturellement, la présence du pilote anglais au dîner de famille n'améliorerait pas son humeur.

Quoi qu'il en soit, l'attitude de Nathan était inacceptable. A supposer que Royce Grantham ait effectivement jeté son dévolu sur sa chère épouse, cette dernière avait tout de même son mot à dire, non ? Nathan n'avait-il donc aucune confiance en l'amour qu'elle lui portait ? Pensait-il sincèrement qu'elle se laisserait séduire par le premier venu ? Elle aimait Nathan à la folie ; depuis qu'elle le connaissait, les autres hommes n'existaient plus. En pénétrant dans le salon à la suite d'Ava et de Jade, elle croisa le regard noir de son époux. A croire qu'il la tenait responsable de la tournure des événements !

— Ah, vous voilà enfin ! tonna Byron en les apercevant. Venez par ici que je vous présente mon invité. Les hommes ne manqueront pas de le reconnaître, je suppose.

Gemma dissimula à grand-peine sa surprise. Où était passé le baroudeur mal rasé au look savamment décontracté ? En quelques heures, il s'était transformé en séducteur mondain, sophistiqué et élégant. Son smoking noir lui allait à merveille ; les revers en satin de sa veste brillaient comme ses cheveux sobrement lissés en arrière. La métamorphose était stupéfiante !

Elle se raidit lorsque son regard bleu, perçant, balaya leur petit groupe, visiblement à la recherche de quelque chose... ou de quelqu'un.

Melanie, sans aucun doute, songea Gemma en retenant son souffle. Elle ne put réprimer un soupir de soulagement lorsque le regard clair glissa sur elle sans s'attarder. Nathan serait bien forcé de le remarquer, lui aussi.

— Ce type est rusé comme un renard, marmonna ce dernier à son oreille. Il prend soin de bien cacher son jeu.

Gemma eut envie de hurler son exaspération. Au prix d'un effort, elle parvint à se maîtriser. Mieux valait s'abstenir de tout commentaire si elle ne voulait pas attiser la colère de son mari.

Une pensée troublante la traversa soudain. Pour des raisons qu'elle ignorait, son père avait eu le même comportement paranoïaque et possessif dans les semaines qui avaient précédé sa mort. Il avait refusé qu'elle quitte Lightning Ridge pour trouver du travail et entrait dans des colères noires si elle avait cinq minutes de retard. Au début, Gemma avait essayé de lui tenir tête mais il avait répliqué avec violence, aussi s'était-elle résignée à supporter en silence ses caprices inexplicables. Son intégrité physique en dépendait, même si elle haïssait la lueur de triomphe qu'elle lisait dans ses yeux chaque fois qu'elle abdiquait.

Gemma jeta un coup d'œil en direction de son mari. Elle espérait de tout son cœur que leur relation ne se heurterait pas aux mêmes écueils… Elle n'avait aucune envie de ménager son humeur lunatique par crainte de le mettre en colère. Non, elle aspirait au contraire à de longues discussions saines et sincères avec son époux !

La réalité était tout autre, hélas. Nathan et elle communiquaient très peu. Cette absence de dialogue véritable datait de leur lune de miel à Avoca mais elle n'en avait pris conscience qu'à leur retour à Sydney, lorsqu'elle avait commencé à travailler. Peut-être étaient-ils trop occupés, chacun de leur côté. Nathan faisait pourtant l'effort de cesser d'écrire quand elle rentrait le soir mais, la plupart du temps, ils désertaient leur appartement pour dîner au restaurant avant d'aller au théâtre ou au cinéma. Comment entamer une conversation sérieuse dans un restaurant bondé ou une salle de spectacle ? Quand ils rentraient chez eux, tard dans la soirée, Nathan l'entraînait directement dans la chambre où il lui faisait l'amour avec fougue avant de sombrer dans un profond sommeil.

Aux yeux de tous, pourtant, Gemma nageait dans le bonheur. Elle vivait dans un luxueux appartement qui dominait Elizabeth Bay, occupait un poste intéressant dans une prestigieuse joaillerie, possédait une garde-robe signée des plus grands créateurs et avait épousé un homme séduisant et brillant, visiblement fou d'elle. Parfois, son propre désarroi l'irritait. Que désirait-elle de plus ?

La réponse était claire : elle souhaitait simplement être proche de son mari, échanger avec lui tout ce qui lui passait par la tête, sans crainte ni retenue. Elle souhaitait qu'ils apprennent à se connaître intimement, que leur amour ne se réduise pas à une harmonie sensuelle mais qu'elle devienne au contraire son amie, sa confidente et sa maîtresse.

Au prix d'un effort, Gemma mit un terme à sa rêverie. Nathan était en train d'expliquer à Byron qu'il avait déjà fait la connaissance de M. Grantham, quelques heures plus tôt.

— Ah bon ? Où vous êtes-vous rencontrés ?

— A la boutique du Regency.

— Ah oui, bien sûr. Royce m'a dit qu'il avait admiré l'Opale noire dans la vitrine de l'hôtel. Mais que faisais-tu là-bas, Nathan ? Je croyais que tu écrivais une pièce.

L'intéressé haussa les épaules.

— Je l'ai délaissée pour un temps… je suis bloqué.

— Dans ce cas, pourquoi ne réfléchis-tu pas à ma proposition ?

— Quelle proposition ? intervint Gemma, intriguée.

Pourquoi Nathan lui avait-il caché qu'il n'arrivait plus à travailler sur sa pièce de théâtre ?

— J'ai du mal à trouver un metteur en scène compétent pour la pièce de Nathan que je vais bientôt produire, aussi lui ai-je suggéré de se charger lui-même de la mise en scène, expliqua Byron. Je suis sûr qu'il s'acquitterait parfaitement de cette tâche. Mais nous en reparlerons plus tard. Jade, viens par ici, chérie. Kyle, où êtes-vous ? Pourquoi restez-vous en retrait ? Approchez, voulez-vous, qu'on en finisse au plus vite avec les présentations. J'ai hâte de sabler le champagne pour célébrer vos fiançailles.

Kyle rejoignit le petit groupe.

— Nous nous connaissons déjà, M. Grantham et moi, déclara-t-il en enlaçant Jade par la taille avant de l'embrasser tendrement sur la joue. Si tu veux mon avis, chérie, nous ferions mieux de dire la vérité à ton père avant que son invité surprise ne mette les pieds dans le plat.

— La vérité ? répéta Ava en écarquillant les yeux. Quelle vérité ?

Kyle s'éclaircit la gorge.

— Je ne m'appelle pas Armstrong, mais Gainsford. Je vis sous une fausse identité depuis mon arrivée à Sydney.

Un flot de sang colora les pommettes de Byron.

— Pourquoi diable feriez-vous usage d'un nom d'emprunt ? Bon sang, ne me dites pas que vous êtes entré chez nous avec l'intention de nous escroquer… ?

Royce Grantham laissa échapper un rire amusé et tous les regards se tournèrent vers lui.

— A votre place, Byron, je ne me ferais aucun souci sur l'intégrité de mon futur gendre. Si Kyle et moi nous connaissons déjà, c'est parce qu'il fut un de mes principaux sponsors pendant mes dernières années de compétition. La fortune de ce jeune homme dépasse largement les deux nôtres réunies, conclut-il d'un air narquois.

La nouvelle fut accueillie par des exclamations de surprise et des regards abasourdis. Jade gloussa.

— Tu t'es mis dans un beau pétrin, lança-t-elle à l'adresse de son fiancé. Ce n'est pas faute de t'avoir prévenu, mais tu appréciais beaucoup trop ton anonymat pour dévoiler la vérité. Que ceci te serve de leçon ! Ah, voici Melanie qui nous apporte des rafraîchissements. De quoi remplir toutes les bouches ouvertes qui nous entourent ! Melanie, avez-vous entendu la confession de Kyle ? Oh, à en juger par votre expression, oui, vous savez tout. Vas-y, chéri, reprit-elle en donnant un coup de coude à Kyle. Explique-leur pourquoi tu as jugé utile de prendre une fausse identité. N'ayez crainte, la motivation de Kyle est tout à fait honorable ; en fait, son histoire est incroyablement romantique, je ne me lasse pas de l'entendre. Et lorsque tu auras terminé, nous dévoilerons notre deuxième secret, d'accord ?

Kyle émit un grognement.

— Rien ne t'arrêtera, j'en ai peur.

— Rien n'a jamais arrêté ma fille, intervint Byron avec une pointe d'ironie dans la voix.

— Vous avez raison, Byron, convint Kyle en enveloppant Jade d'un regard tellement plein d'amour, de bienveillance et de compréhension que Gemma sentit son cœur chavirer.

Si seulement Nathan la regardait avec ces yeux-là… La passion était une chose extraordinaire, certes, mais elle ne suffisait pas à unir un couple durablement.

— Si vous ne vous décidez pas, Kyle, je vais craquer ! intervint Ava.

— Je suis moi-même assez curieux d'entendre votre histoire, renchérit Royce Grantham, les yeux pétillant d'amusement.

Kyle soupira.

— Je vais sans doute vous paraître d'un sentimentalisme affligeant, mais tant pis, je prends le risque. Voilà… j'ai constaté depuis longtemps que mon héritage familial constituait un véritable obstacle dans mes relations avec les autres, en particulier avec les femmes. L'expérience m'a appris que ce n'était pas moi qui les intéressais, mais ma fortune. J'atteignais néanmoins un âge où je désirais me marier et fonder une famille, aussi ai-je décidé de quitter ma ville natale sous un nom d'emprunt dans l'espoir de rencontrer enfin la femme idéale, une femme qui tomberait amoureuse de moi pour ce que je suis, et non pour la fortune que je représente. J'ai su que Jade était cette femme à l'instant même où j'ai posé les yeux sur elle. Par bonheur, elle a ressenti la même chose à mon égard.

— Je savais depuis le début qu'il y avait anguille sous roche, intervint Nathan.

— Eh bien pas moi ! marmonna Byron, furieux.

— Je suis désolé d'avoir dû vous mentir, Byron, s'excusa Kyle. Mais j'ai essayé de faire du bon travail au sein de Whitmore et j'aimerais vraiment conserver mon poste de directeur du marketing. Pour être franc, j'apprécie énormément le défi qui m'est imposé. Il n'est pas utile de dévoiler mon secret aux autres employés, qu'en pensez-vous ? Pas pour le moment, en tout cas. Avec Jade, nous avons décidé de nous marier dans la plus stricte intimité, avec sa famille proche uniquement ; il n'y aura donc aucune publicité autour de notre union.

— Que faites-vous de votre famille, Kyle ? demanda Gemma. Vous n'avez pas l'intention de les inviter ?

— Je n'ai pas de famille en Australie. Mes parents ont péri dans un incendie quand j'étais bébé. Je suis… le stéréotype du pauvre petit garçon riche, conclut-il en souriant à sa fiancée, mais j'ai eu la chance inouïe de trouver une femme qui m'aime pour ce que je suis vraiment.

— Et qui porte ton enfant, murmura Jade avant de jeter un coup d'œil anxieux en direction de son père.

Ses inquiétudes fondirent comme neige au soleil. Le visage de Byron s'éclaira aussitôt.

— Un bébé ! Mon premier petit-enfant ! Quelle merveilleuse surprise !

Il prit sa fille dans ses bras puis serra la main de Kyle.

— J'espère que vous ne tarderez pas à vous marier.

— Nous voulons organiser cela le plus tôt possible.

— Voici une double occasion de sabler le champagne… nous avons bien fait de mettre *deux* bouteilles au frais, n'est-ce pas, Royce ? Quelle soirée !

Melanie approuva silencieusement tout en présentant aux convives un plateau garni de canapés. De leur côté, Byron et Royce remplissaient les flûtes en cristal. Elle échangea quelques mots avec Nathan et Gemma puis s'arrêta auprès de

Jade jusqu'à ce que Royce se fût éloigné en direction d'Ava, un verre de champagne à la main. Melanie gagna encore quelques minutes en se donnant la peine d'expliquer à Byron que Rita n'avait pas pu venir l'aider ce soir. Finalement, elle n'eut plus d'autre choix que d'approcher l'ennemi. Accoudé au manteau de la cheminée, il sirotait son champagne tout en écoutant avec attention les propos animés d'Ava.

— Je ne devrais pas, vraiment, murmura celle-ci lorsque Melanie lui présenta le plateau.

— Pourquoi dites-vous cela ? demanda son compagnon, les yeux rivés sur Melanie.

Le regard noir de celle-ci se chargea de mépris. Comment osait-il faire du charme à la pauvre Ava alors qu'il poursuivait en secret la gouvernante de la maison ?

S'il croyait la rendre jalouse, il se trompait du tout au tout ! Certes, son regard si bleu, diablement langoureux et son physique d'athlète étaient loin de la laisser indifférente, mais elle se garderait bien de le lui dire. Plutôt mourir que de remettre sa destinée entre les mains d'un homme qui, de surcroît, semblait la copie conforme de Joel.

— Vous boirez bien un peu de champagne avec nous, Melanie ? demanda Ava, indifférente à la tension qui régnait entre ses compagnons.

— Je crains de ne pas en avoir le temps, Ava. Rita n'a pas pu se libérer ce soir, je suis seule en cuisine.

— Je suis plutôt bon cuisinier, intervint Royce d'un ton suave. Avez-vous besoin d'aide ?

— Merci mais je doute que Byron apprécie qu'un de ses invités passe la soirée enfermé dans la cuisine, répondit-elle, doucereuse.

Elle tourna les talons, pressée d'échapper au regard narquois de ce trouble-fête. Lorsqu'elle se pencha pour poser le plateau sur la table basse, sa jupe noire remonta légèrement sur ses jambes fuselées. Bien qu'elle tournât le dos à Royce Grantham, elle devina aux frissons qui parcoururent sa nuque qu'il était en train de la déshabiller du regard.

Horrifiée par le tour que prenaient ses pensées — et par l'onde de chaleur qui courait dans ses veines—, elle se redressa précipitamment et lissa sa jupe du plat de la main.

— Quand désirez-vous que je serve le dîner, Byron ? s'enquit-elle, étonnée par l'intonation posée de sa voix.

— Pas avant une demi-heure, Melanie, répondit son employeur. Votre menu n'en pâtira pas, j'espère ?

— Pas du tout.

Les tranches de saumon fumé reposaient déjà sur leurs assiettes de service. Le porc à la thaïlandaise mijotait doucement et le dessert — un flan à la noix de coco nappé de caramel — attendait d'être dégusté au frais.

— Une dernière chose, Byron, reprit-elle avec la même assurance, j'ai pris la liberté de choisir le vin pour vous. J'espère que vous n'y verrez pas d'inconvénient… le vin blanc avait besoin d'être mis au frais. Bien sûr, je pourrai toujours vous apporter d'autres bouteilles de vin rouge si celles que j'ai sélectionnées ne vous conviennent pas.

— Chère Melanie, vos qualités de sommelière n'ont d'égale que votre imperturbabilité. Je parlais encore tout à l'heure à Royce de vos compétences exceptionnelles. Il craignait que sa présence ne vienne troubler l'organisation du repas mais je lui ai assuré qu'il en fallait plus pour vous perturber.

— Ce à quoi j'ai répliqué que, s'il n'y prenait pas garde, il ne serait pas impossible que je vous kidnappe, lança Royce d'un ton enjoué. J'ai besoin d'une gouvernante de votre étoffe pour gérer l'intendance de ma maison, en Angleterre.

— Hé, vous avez entendu ça, vous autres ? s'écria Byron en riant. Royce essaie de nous voler Melanie. Pas de chance, mon cher, Melanie fait quasiment partie de la famille, à présent. De plus, elle sait bien que je serais complètement perdu sans elle. Ava chérie, ton verre est presque vide. Viens par ici que je te resserve.

— Je suis prêt à doubler votre salaire, insista Royce avant que Melanie ait le temps de s'éclipser.

Elle se força à rencontrer son regard bleu, empreint d'une détermination presque effrayante.

— J'accéderai à toutes vos exigences si vous acceptez de me suivre, ajouta-t-il.

— Je ne désire qu'une chose, monsieur Grantham, répliqua Melanie d'une voix qui tremblait légèrement, que vous me laissiez tranquille.

— Menteuse.

Piquée au vif, Melanie lui fit face.

— Comment osez-vous me parler ainsi ? murmura-t-elle, contenant à grand-peine son exaspération.

— Seriez-vous par hasard la maîtresse de Byron ? dit-il à mi-voix, de telle sorte qu'aucun Whitmore ne puisse l'entendre.

Les yeux de la jeune femme s'arrondirent de stupeur en même temps qu'un flot de sang envahissait son visage.

— Ne vous donnez pas la peine de répondre, je me suis trompé, c'est évident. Tant mieux… car cela ne m'aurait pas plu. Pas plu du tout. Je suis désolé de me montrer aussi abrupt, enchaîna-t-il à voix basse, ce n'est pas dans mes habitudes, mais le temps presse. L'expérience m'a appris qu'il fallait foncer tête baissée quand on désirait quelque chose désespérément. J'ai envie de vous, Melanie Lloyd, c'est aussi simple que ça. Je vous trouve incroyablement belle, terriblement fascinante et si sexy que je vais devoir prendre une douche froide en regagnant ma chambre d'hôtel tout à l'heure… à moins que vous acceptiez de venir avec moi…

Melanie retint son souffle. Pour l'amour du ciel, s'imaginait-il vraiment qu'elle ferait une telle chose ? Avait-il l'habitude que les femmes se jettent à ses pieds dès qu'il claquait des doigts ? Scandalisée par son audace, elle le foudroya du regard.

— Dois-je prendre ça pour un refus ?

Tournant les talons, Melanie quitta la pièce sans mot dire.

Malgré la colère qui bouillonnait en elle, elle ne pouvait s'empêcher de se sentir flattée par les compliments de l'arrogant Royce Grantham. « Incroyablement belle, terriblement fascinante et sexy… » : ces paroles résonnaient en boucle dans sa tête. Quelle femme n'aurait pas été sensible à de telles déclarations ? Enferrée dans sa solitude et ses frustrations, Melanie s'était sentie faiblir.

Pendant la demi-heure qui suivit, elle s'efforça de mettre de l'ordre dans ses pensées. Royce Grantham aurait recours aux tactiques les plus machiavéliques pour la séduire, et celles-ci incluaient la flatterie exagérée et les mensonges éhontés. Il irait jusqu'à prétendre qu'il *l'aimait*, elle le savait d'avance !

Malgré tout, elle éprouvait un mal fou à conjurer les images sensuelles qui défilaient dans son esprit. La chambre d'hôtel, le grand lit, Royce Grantham…

Tout ça, c'était la faute de Joel ! se dit-elle en arpentant la cuisine d'un pas rageur. C'était lui qui l'avait initiée aux plaisirs de l'amour, lui qui avait fait naître en elle des sensations aussi délicieuses qu'enivrantes. Elle avait cru en être à jamais dégoûtée après sa trahison, mais apparemment elle s'était trompée. Elle restait une femme de chair et de sang, une femme qui ne demandait qu'à s'épanouir de nouveau au contact d'un homme.

« C'est idiot, décréta-t-elle en disposant les assiettes de saumon fumé sur un plateau, je suis parfaitement capable de dominer mes instincts. Ma volonté et mon amour-propre m'aideront à lutter contre ce coureur de jupons. L'amour-propre… j'ai toujours pris soin de le ménager, n'est-ce pas ? Un peu trop parfois… Mais aujourd'hui, je m'en servirai comme d'une arme. De toute façon, est-ce que je désire vraiment figurer au tableau de chasse de Royce Grantham, perdue au milieu de ses multiples conquêtes ? »

— Plutôt mourir, marmonna-t-elle d'un ton déterminé.

En jetant un coup d'œil à l'horloge, Melanie sentit son estomac se nouer. Il était temps de prier les invités de passer à table. Temps de servir le repas… et de mettre à l'épreuve son amour-propre.

Elle s'en sortait plutôt bien, songea-t-elle en regagnant la cuisine un moment plus tard. Même si ses mains avaient tremblé légèrement lorsque leurs regards s'étaient croisés et qu'il avait eu l'audace de lui sourire.

A 22 heures, elle débarrassa les assiettes et s'assura que tout le monde prendrait du dessert.

— Une toute petite part pour moi, s'il vous plaît, Melanie, répondit Ava avec un sourire timide.

— Je croyais que tu ne faisais pas de régime, tatie, claironna Jade.

Ava s'empourpra.

— Je ne suis pas au régime, je t'assure.

— Elle n'en a pas besoin, intervint Royce d'un ton suave. C'est tellement plus joli, une femme avec quelques rondeurs.

Il accompagna sa remarque d'un regard appuyé en direction de la poitrine de Melanie qui rougit jusqu'aux oreilles. Gemma et Nathan la considérèrent d'un air intrigué.

— Tout à fait d'accord avec vous, Royce, renchérit Byron, indifférent à la tension qui régnait entre son invité et sa gouvernante. Pour vieillir en beauté, une femme a tout intérêt à être un peu enveloppée.

— Ça dépend, tempéra Jade. Prenez par exemple Celeste Campbell. Elle doit friser la quarantaine et elle est mince comme un fil. J'ai vu une photo d'elle l'autre jour, dans un magazine féminin ; c'était à l'occasion d'une réception qu'elle donnait sur son yacht… eh bien, elle était en Bikini et croyez-moi, elle était magnifique ! Je donnerais tout pour être comme elle à son âge.

— Elle doit faire beaucoup d'exercice, observa Ava dans un soupir.

— Oui, renchérit Byron… dans sa chambre à coucher ! Pour l'amour de Dieu, Jade, pourquoi vénères-tu tant cette mégère ?

— Cette mégère est ma tante, figure-toi, riposta la jeune femme. Elle dirige aussi avec maestria le principal concurrent de Whitmore Opals.

— Peut-être plus pour très longtemps.

Un sourire vengeur étira les lèvres de Byron.

— Il paraît que leurs ventes ont chuté considérablement depuis que les médias se sont emparés de cette histoire de pots-de-vin qu'ils distribuaient aux tour operators japonais afin que ces derniers boycottent toutes les bijouteries duty-free au profit de la leur. A propos, Kyle, je me demandais si vous étiez intervenu dans ce dossier. Rassurez-vous, je n'y verrais aucun inconvénient.

— Il se pourrait que j'aie glissé le bon mot dans la bonne oreille au bon moment, reconnut le jeune homme. Je possède quelques parts de la chaîne de télévision qui a diffusé l'information la première.

Byron laissa échapper un rire amusé.

— Je vois que vous êtes un précieux allié. Cela dit, j'imagine que vous ne comptez pas passer le restant de votre vie à la tête du service marketing de Whitmore Opals… ?

— Non, je suis en train de former Jade afin qu'elle puisse me succéder l'an prochain. Il faudra bien que je retourne m'occuper de mes propres affaires.

— Jade est bien trop jeune et inexpérimentée pour ce poste ! objecta Byron. En plus, elle sera mère de famille. Sa place est à la maison, pas au bureau !

— Jade choisira elle-même la place qui lui convient, argua Kyle d'un ton ferme. De nos jours, la plupart des femmes parviennent à concilier travail et vie de famille, lorsqu'elles le désirent. Quant à sa jeunesse et son inexpérience, si vous voulez la vérité, elle est beaucoup plus compétente que moi pour ce poste. C'est elle qui a initié la majorité des projets mis en place au cours des dernières semaines. J'ai une confiance totale en ses capacités et je vous suggère d'en faire autant.

— Arrête, chéri, c'est trop, intervint Jade avec un petit rire gêné. Je te remercie pour ton soutien mais je sais me défendre toute seule, ne t'inquiète pas pour moi. Papa, tais-toi et bois un peu de cet excellent vin. Melanie, je prendrai une double portion de dessert puisque je mange pour deux, désormais !

Encore troublée par les allusions de Royce Grantham, Melanie battit en retraite. Dans la cuisine, elle prit tout son temps pour servir le dessert et disposer les coupes sur le plateau. Puis, forçant son courage, elle se dirigea de nouveau vers la salle à manger. La conversation s'était orientée sur l'opale que Royce désirait acquérir. Kyle et Jade s'opposaient catégoriquement à lui céder la pierre avant la vente aux enchères.

Melanie posa le plateau sur la table de service puis distribua les coupes aux convives, la plus petite part allant à Ava et la plus grosse à Jade.

— Vous allez être obligé de rester un peu à Sydney si vous tenez tant à acheter l'Opale noire, déclara Byron à l'adresse de Royce. Deux semaines, ce n'est rien… imaginez plutôt le bonheur que vous aurez à posséder cette pierre unique, d'une valeur inestimable. Une telle opportunité ne se représentera jamais à vous, croyez-moi. Merci, Melanie.

Une fois de plus, Royce accrocha le regard de celle-ci en prenant la parole.

— Je suis entièrement d'accord. Vous avez raison, je vais rester jusqu'au bal et après je filerai directement en Angleterre pour mettre à l'abri ma précieuse trouvaille. Elle ornera divinement ma nouvelle demeure. J'ai déjà songé à l'endroit idéal… la chambre du maître de maison.

Melanie détourna précipitamment le regard. Parlait-il de l'opale ? Ou d'elle ? Malgré elle, son esprit s'emplit d'images troublantes. La chambre à coucher… Royce et elle, étroitement enlacés.

« Amour-propre, je t'en prie… viens à mon secours ! »

— Que se passera-t-il si quelqu'un fait une offre plus intéressante que la vôtre ? demanda Gemma.

— Je ne me fais pas de souci. Je suis prêt à dépenser des fortunes quand je veux vraiment quelque chose.

Les yeux noirs de Melanie se posèrent de nouveau sur lui. Ainsi, telle était sa stratégie… Lorsque les autres méthodes ne fonctionnaient pas, il sortait son carnet de chèques. Seigneur, croyait-il vraiment qu'elle se laisserait acheter comme une vulgaire marchandise ?

— Vous désirez donc tellement ce qui fait la joie et la fierté de notre joaillerie ? s'étonna Byron.

— Oui.

— Par conséquent, vous serez là pour le grand bal ?

— Absolument. Je passerai dès demain à la boutique pour acheter un ticket d'entrée. Vous y serez, n'est-ce pas, madame Whitmore ? ajouta-t-il à l'adresse de Gemma.

— Oui, bien sûr, répondit celle-ci en souriant.

Gemma le trouvait charmant ; et il semblait totalement séduit par Melanie, à en juger par les regards dont il l'enveloppait à chacune de ses apparitions.

— Je crains, hélas, que tu ne puisses aller travailler demain, chérie, objecta Nathan.

Interloquée, Gemma écouta sans réagir les explications qu'il fournit à Royce Grantham.

— Nous devons passer la journée avec ma fille car mon ex-femme doit se rendre à un… rendez-vous qu'elle ne peut annuler.

— Mais… mais…, bredouilla Gemma, abasourdie.

Nathan lui tapota gentiment la main.

— J'ai oublié de t'avertir, chérie. Ne t'inquiète pas, je préviendrai en personne la directrice de la boutique afin d'excuser ton absence. Ils pourront toujours faire venir un extra. Cela ne pose pas de problème, n'est-ce pas, Byron ?

— Bien sûr que non. Après tout, ce travail n'est rien d'autre qu'une petite occupation, Gemma.

4.

« Une petite occupation » ! Gemma tombait des nues. Elle était la meilleure vendeuse de l'équipe et sa maîtrise de la langue japonaise, qu'elle avait apprise afin d'occuper ce poste, lui valait d'être sollicitée par tous les touristes japonais qui s'arrêtaient à la boutique.

— Je ne considère pas mon travail comme une simple occupation, Byron, protesta-t-elle en s'efforçant de garder son calme.

— Et tu as bien raison ! appuya Jade. Tu n'es qu'un vieux misogyne, papa. Ne fais pas attention à lui, Gemma. Personnellement, je me moque de son opinion.

— C'est bien ce que j'avais remarqué, répliqua son père d'un ton sarcastique. Je suis ravi que Kyle reprenne le flambeau, ma chère fille. Je le laisse volontiers se faire des cheveux blancs à ma place.

— Pourquoi m'inquiéterais-je pour Jade ? dit Kyle en haussant les épaules. Ce n'est plus une enfant ; c'est une femme intelligente et pleine de bon sens. Quant à reprendre le flambeau… si je m'avisais de lui dicter sa conduite, elle ne ferait de moi qu'une bouchée, j'en ai peur !

Jade rit de bon cœur.

— Tu as tout à fait raison, mon chéri… n'oublie jamais que tu épouses une femme indépendante et libérée !

— Je ne vous envie pas, Kyle, décréta Byron. Là encore, à chacun ses goûts. Personnellement, je préfère les femmes plus soumises.

— A la bonne heure, murmura Nathan.

Gemma ferma les yeux, assaillie par une soudaine douleur aux tempes. Sans le savoir, Jade venait de mettre le doigt sur la véritable cause de son désarroi. Nathan ne voulait pas vivre comme Kyle et Jade, dans une relation de partage et de compréhension où les deux conjoints se plaçaient sur un pied d'égalité. Non, il préférait une épouse « à l'ancienne » qui n'entreprendrait rien sans en parler d'abord à son mari ; une femme qui nierait ses propres aspirations et ses ambitions afin de se consacrer entièrement à son époux.

Une évidence s'imposa à elle, effrayante : lorsqu'il jugerait le moment propice, Nathan lui ferait un enfant et elle serait alors obligée de quitter son « occupation » pour veiller à l'éducation de sa progéniture, comme le faisaient les femmes, autrefois.

Son cœur se serra douloureusement. Pourquoi la perspective de porter l'enfant de Nathan ne la réjouissait-elle plus comme avant ? N'avait-elle pas confié à Ma, en quittant Lightning Ridge, que son vœu le plus cher était de trouver un bon mari et d'élever une ribambelle d'enfants ? Et voilà qu'à présent la simple idée de tomber enceinte la faisait frémir…

Elle commençait à en avoir assez que Nathan la traitât comme une gamine ! Elle avait de plus en plus l'impression d'avoir affaire à un père tyrannique et non au mari aimant et bienveillant qu'elle avait cru trouver.

— Prendrez-vous du café, Gemma ?

Elle ouvrit les yeux et gratifia Melanie d'un pâle sourire.

— Oui, s'il vous plaît.

Le sourire empreint de compréhension que lui rendit Melanie lui réchauffa le cœur. En l'absence de Ma, peut-être pourrait-elle confier ses tourments à la gouvernante de Belleview. Melanie avait été mariée, elle saurait sûrement lui donner de judicieux conseils sur la conduite à tenir face à l'attitude autoritaire de Nathan. Devait-elle l'affronter ouvertement ou essayer plutôt de faire évoluer les choses en douceur ?

Quant à l'excuse qu'avait trouvée Nathan pour l'empêcher d'aller travailler le lendemain, Gemma le soupçonnait de l'avoir inventée de toutes pièces. Kirsty refuserait à coup sûr de la voir. La jeune fille ne lui avait pas pardonné d'être devenue la nouvelle épouse de son père, brisant ainsi son rêve de voir un jour ses parents de nouveau réunis. Depuis leur mariage, Kirsty ne leur avait pas rendu visite une seule fois et elle refusait obstinément que Gemma les accompagne lorsque son père prévoyait une sortie avec elle.

Si elle n'allait pas travailler le lendemain, elle serait donc contrainte de passer la journée seule à l'appartement, tout ça parce que Nathan s'était mis dans la tête que Royce Grantham s'intéressait à elle. C'était grotesque ! Fallait-il qu'il soit aveugle pour ne pas voir les regards lourds de sous-entendus qu'il avait adressés à Melanie tout au long de la soirée ?

A quoi bon tenter la conciliation avec un être aussi borné que Nathan ? Le mieux serait probablement de le mettre au pied du mur, sans ménagement, de clamer haut et fort qu'elle n'était pas une jeune écervelée mais une femme indépendante, capable de prendre sa vie en main !

Malgré tout, elle redoutait qu'une discussion vive et franche ne dégénère en querelle. Leurs rapports étaient restés tendus depuis la visite de Royce à la boutique, en début d'après-midi. Peut-être devrait-elle pour cette fois encore céder aux caprices de Nathan… Après tout, elle ne croiserait pas tous les jours la route d'un champion de Formule 1…

Ses pensées se tournèrent vers Melanie. Qu'incarnait-elle, aux yeux de Royce Grantham ? Voyait-il en elle un guide de charme qui agrémenterait son séjour à Sydney, ou bien son attirance était-elle plus profonde ? Et s'il cherchait une épouse, à présent qu'il s'était retiré de la compétition ? Non, Royce Grantham ne semblait pas pressé de se marier. Ce ne serait donc qu'une simple idylle.

Melanie repousserait ses avances, Gemma en était persuadée. La gouvernante de Belleview n'était pas du genre à collectionner les aventures sans lendemain ; elle semblait même totalement hermétique au charme masculin. Au début, Gemma avait cru que sa froideur était due au drame qu'elle avait vécu, ce tragique accident de voiture qui avait coûté la vie de son mari et de son bébé. Avec le temps, elle se posait d'autres questions… Melanie avait-elle été vraiment heureuse pendant sa vie conjugale ?

Ce soir pourtant, en dépit de son sang-froid légendaire, la gouvernante avait paru troublée par la présence du séduisant pilote de course. A plusieurs reprises, Gemma avait surpris les regards lourds d'ambiguïté qu'ils avaient échangés subrepticement. Royce Grantham avait même réussi à désarçonner Melanie au point de la faire rougir ! Gemma avait alors été obligée de réviser son jugement. La femme la plus déterminée pouvait se révéler vulnérable quand un homme décidait de la séduire.

En l'entendant soupirer, Nathan se tourna vers elle.

— Tu n'as pas bu ton café, chérie. Quelque chose ne va pas ?

— Pardon ? Oh… non… non, j'étais en train de rêvasser.

— A quel sujet ?

— Rien de bien important. En fait, je suis un peu fatiguée.

— Dans ce cas, rentrons, d'accord ? Byron, Gemma se sent un peu lasse. Tu ne nous en voudras pas si nous partons sitôt notre café terminé, n'est-ce pas ?

— Il n'est que 11 heures… je voulais t'entretenir au sujet de la pièce, protesta Byron.

— Inutile. J'ai déjà pris ma décision. J'accepte ta proposition.

— C'est vrai ? Même avec Lenore dans le rôle principal ?

Byron ne cacha pas son étonnement. De son côté, Gemma considéra son mari avec stupeur.

— Je ne vois pas pourquoi cela me poserait un problème, répondit Nathan d'un ton désinvolte. Contrairement à ce que certains semblent penser, nous avons divorcé à l'amiable, Lenore et moi. Je dirais même que nous nous entendons mieux que jamais depuis que nous sommes séparés.

Gemma se raidit, brusquement assaillie par un souvenir pénible. L'incident s'était produit lors de son arrivée à Belleview alors que Nathan venait de l'engager pour tenir compagnie à sa fille, Kirsty. Gemma était déjà tombée sous le charme de son employeur et Nathan lui avait avoué un peu plus tard qu'elle l'avait séduit au premier regard. Ce soir-là, pourtant, elle l'avait surpris en train d'embrasser Lenore dans la salle de billard. Leur étreinte était si passionnée qu'aucun d'eux n'avait remarqué sa présence. Gemma n'avait jamais trouvé le courage de demander des explications à Nathan. Puis, lorsqu'il l'avait demandée en mariage, niant tout sentiment pour son ex-femme, Gemma avait relégué ses doutes et ses inquiétudes dans un coin de son esprit.

A présent, ses incertitudes rejaillissaient, douloureuses. Elle n'avait pas envie que Nathan dirige Lenore dans cette pièce, pas envie de le voir passer tant de temps en sa compagnie. Son ex-femme était d'une beauté saisissante et Gemma se sentait toujours un peu fade en comparaison. Féline et sensuelle, Lenore savait certainement de quelle manière combler un homme alors que Gemma était encore timide, parfois un peu inhibée, dans ce domaine.

Aiguillonnée par la jalousie, elle se promit de se montrer plus audacieuse dans ses caresses, de cesser de jouer à la vierge effarouchée lorsque Nathan l'entraînait sur le chemin de l'érotisme. En général, ses réactions embarrassées le faisaient sourire et il se pliait sans mot dire à sa volonté. Mais un jour ou l'autre, sa patience finirait par s'émousser et les jeux amoureux auxquels ils se livraient ne lui suffiraient plus... que se passerait-il alors ?

La mort dans l'âme, Gemma résolut de ne pas aller travailler le lendemain afin d'éviter tout conflit avec Nathan. Bientôt, il reverrait Lenore tous les jours... ce n'était pas le moment de le provoquer.

Hélas, ses bonnes résolutions partirent en fumée quelques minutes seulement après leur départ de Belleview.

— Tes bouderies ont le don de me mettre hors de moi, lança Nathan d'un ton courroucé, le regard rivé sur la route.

— Je ne boude pas, figure-toi. Même si c'était le cas, je ne vois pas en quoi cela t'étonnerait... après tout, ce sont les petites filles qui boudent et c'est ainsi que tu m'as traitée pendant toute la soirée !

— Ne sois pas ridicule, Gemma. Je n'ai rien fait de tel.

— Ah oui ? J'ai pourtant eu l'impression d'avoir affaire à un père autoritaire quand tu m'as interdit d'aller travailler demain. De quoi as-tu peur, à la fin ? Il faut être aveugle pour ne pas voir que c'est Melanie qui intéresse Royce Grantham, pas moi ! Bon sang, Nathan, tu n'as donc pas remarqué les regards langoureux qu'il lui coulait, ce soir ?

— Si, bien sûr. Mais connaissant Melanie, elle refusera ses avances et M. Grantham, fou de frustration, sera bien obligé de se rabattre sur une autre proie… toi, en l'occurrence !

Gemma leva les mains en l'air dans un geste impuissant.

— Je n'en crois pas mes oreilles ! Et moi ? Je n'ai pas voix au chapitre, c'est ça ? Pourquoi accepterais-je les avances de Royce Grantham alors que c'est toi que je désire, toi que j'aime ? A moins que tu n'aies pas confiance en mon amour, Nathan… ? C'est ça ?

Le feu passa au rouge et Nathan freina. Un silence électrique emplit la voiture. Il se tourna lentement vers elle. Son visage était indéchiffrable, son regard gris insondable.

— J'essaie simplement de protéger ma femme d'un homme qui ne reculera devant rien pour obtenir ce qu'il veut. Tu es jeune et inexpérimentée, une proie idéale pour Royce Grantham. Car il ne s'agit pas d'amour, Gemma, simplement de désir physique. Crois-moi ou non, une femme peut tout à fait être amoureuse d'un homme et éprouver de l'attirance pour un autre.

— Je ne te crois pas, répliqua Gemma d'un ton buté.

— Ça ne m'étonne pas, après tout, tu n'as que vingt ans. Tu changeras d'avis dans quelques années. Pour te donner un petit exemple, mon ex-femme était amoureuse d'un autre homme tout le temps qu'a duré notre mariage, ce qui ne l'empêchait pas d'apprécier pleinement nos étreintes amoureuses.

Gemma poussa une petite exclamation outragée.

— Je ne te crois pas.

Un sourire sarcastique naquit sur les lèvres de Nathan.

— A quelle partie de ma révélation fais-tu allusion?

Les pensées de Gemma s'embrouillèrent. Et si Nathan disait la vérité en prétendant que Lenore aimait un autre homme ? Cela expliquerait le divorce de Nathan et l'amertume de celui-ci ; d'ailleurs leur séparation n'avait peut-être pas été aussi amicale qu'il voulait bien le dire. Et s'il était toujours amoureux de Lenore ? Peut-être parlait-il de sa propre expérience en affirmant qu'il était possible d'aimer quelqu'un et de désirer quelqu'un d'autre.

Une vague de désespoir s'abattit sur elle. Comment être sûre que Nathan l'aimait sincèrement, qu'il éprouvait pour elle plus qu'une simple attirance physique ? Il ne lui avait jamais expressément avoué son amour.

— Nathan, est-ce que tu m'aimes ? demanda-t-elle d'une voix tremblante.

Le visage de son époux s'assombrit.

— Quelle question, Gemma ! Bien sûr que oui. Pourquoi t'aurais-je épousée, sinon ?

— Je ne sais pas, murmura-t-elle, dubitative. Pourquoi ne me le dis-tu jamais ?

— Je t'ai épousée parce que je t'aime, nom d'un chien ! Ne me dis pas que tu fais partie de ces femmes à qui il faut le répéter à longueur de journée !

Gemma secoua la tête. Pourquoi prenait-il ce ton rageur pour lui dire qu'il l'aimait ?

— Non, admit-elle dans un soupir. De qui Lenore est-elle amoureuse ?

— Je n'ai pas le droit de le dévoiler.

— Pourquoi ?

— Parce qu'il s'agit d'un homme marié, père de famille.

La stupéfaction se lut sur le visage de Gemma.

— Et Lenore couche avec lui ?

— Tu l'imaginais menant une vie de bonne sœur ? A ton avis, avec qui a-t-elle rendez-vous demain ?

— Oh, mon Dieu...

— Ça te choque ?

Son rire moqueur résonna cruellement aux oreilles de Gemma.

— Tant mieux. Tes lunettes roses commencent à se ternir un peu, n'est-ce pas ?

Malgré la jalousie qui la rongeait, le cynisme de Nathan la poussa à analyser objectivement la véritable nature de Lenore. C'était une femme intelligente, lucide et déterminée. Une femme respectable, contrairement au portrait que venait de lui brosser Nathan.

— Est-ce que Lenore le voyait quand vous étiez mariés ? demanda-t-elle d'un ton où perçait l'incrédulité.

— Comment le saurais-je ? Elle affirme que non. Comme je te l'ai déjà dit, Lenore et moi vivions en parfaite harmonie, sur le plan physique, en tout cas. Ce qui prouve une fois de plus que l'amour et le désir peuvent être tout à fait distincts.

— Chez Lenore peut-être, mais pas chez moi, décréta Gemma. Et je ne suis pas la seule, j'en suis certaine.

— Tu dis ça parce que tu es jeune et inexpérimentée, insista Nathan.

— N'est-ce pas ce qui t'a plu en moi ? lança Gemma, gagnée par un sentiment de frustration intense.

— Si, je le reconnais.

— Tu préférerais peut-être que je ressemble davantage à Lenore ?

— Grands dieux, non ! Pourquoi dis-tu une chose pareille ?

— Parce que je t'ai vu embrasser Lenore un jour, et manifestement vous étiez *deux* à y prendre du plaisir !

Ils étaient à l'arrêt, fort heureusement, car Nathan se tourna soudain vers elle, comme frappé par la foudre.

— De quoi parles-tu ?

Gemma lui remémora la scène qu'elle avait surprise ce soir-là. Au fil de son récit, Nathan cessa de froncer les sourcils pour esquisser un sourire ironique.

— Ah oui, je me souviens.

Il ponctua ses paroles d'un petit rire avant de reprendre la parole.

— Bien sûr, tu ne vas pas me croire quand je te dirai que ce n'était pas vraiment Lenore que j'embrassais ce soir-là, mais plutôt une jeune femme vêtue d'une petite robe d'été qui avait attisé mon désir à un point presque douloureux. Lenore m'avait provoqué verbalement et avant que je comprenne ce qui se passait, je l'ai prise dans mes bras pour décharger sur elle toute ma frustration. Expérimentée et patiente, Lenore s'est laissé faire pendant quelques instants avant de me décocher un bon coup de pied dans le tibia qui m'a aidé à reprendre mes esprits.

Empreints d'autodérision, ces propos ne suffirent pas à apaiser les doutes de Gemma.

— Dois-je comprendre que tu n'es plus amoureux d'elle ?

— Dieu m'en garde ! Si tu veux tout savoir, je n'ai jamais été amoureux de Lenore, et elle ne m'a jamais aimé non plus. Elle a flirté avec moi un soir dans l'espoir de rendre jaloux l'homme qu'elle aimait. Ce dernier n'ayant pas réagi, nous avons couché ensemble et elle est tombée enceinte. Mis au pied du mur, nous avons décidé d'assumer nos responsabilités ; c'est ainsi que nous nous sommes mariés avec l'espoir d'être le plus heureux possible.

Le feu passa au vert et la Mercedes démarra. Nathan jeta un bref coup d'œil à Gemma.

— Et tu ressasses ces idioties depuis le début ? s'enquit-il, radouci.

Elle hocha la tête d'un air penaud. Malgré tout, une certitude demeurait ancrée au fond d'elle : Nathan ne croyait pas à son amour. Il refusait de lui faire confiance ; la conduite de Lenore était sans aucun doute responsable de sa méfiance. Comment pouvait-on aimer un homme et prendre du plaisir avec un autre ? Pour Gemma, c'était totalement inconcevable. Même si, elle le reconnaissait volontiers, Nathan était un amant merveilleux. A la fois tendre et inventif, il connaissait mille et une manières de procurer du plaisir à une femme. Il aimait le corps féminin, ses courbes et sa douceur, son goût et ses parfums. Il jouait divinement de ses mains et de sa bouche, explorant sa sensualité avec une ardeur chaque fois renouvelée.

Plongée dans ses pensées, elle sursauta lorsque Nathan posa une main sur son genou.

— Dès que nous serons à la maison, je te montrerai à quel point je t'aime, susurra-t-il.

Gemma se raidit. N'avait-il donc aucun autre moyen de lui prouver son amour ? Pendant tout le reste du trajet, les paroles de son époux tournoyèrent dans son esprit confus. Pouvait-on vraiment distinguer l'amour du désir ? Le cas échéant, que se passait-il quand le désir commençait à s'émousser, quand il n'y avait plus rien pour soutenir une relation… ou un mariage ?

Gemma arriva chez elle dans un état de nervosité indicible. Elle avait peur et se sentait très lasse, tout à coup. Plus que tout, elle redoutait que son mari lui fît l'amour ce soir.

5.

Melanie était en train de charger le lave-vaisselle lorsque Royce entra dans la cuisine. Il tenait dans une main un verre de cognac, dans l'autre un cigare. Elle le toisa froidement tandis qu'il se hissait sur un des tabourets accolés au comptoir. Il soutint son regard, un sourire désinvolte aux lèvres, et fit tourner plusieurs fois le liquide ambré dans le verre avant d'en prendre une gorgée.

— Excellent, déclara-t-il en posant son verre pour aspirer une grande bouffée de cigare.

— Je n'aime pas qu'on fume dans ma cuisine, commenta Melanie en posant devant lui un petit cendrier.

— Pas de problème, répondit Royce en écrasant l'extrémité incandescente de son cigare.

Avec une nonchalance irritante, il reprit son verre et sirota lentement son cognac.

— Si vous êtes venu me proposer de devenir votre gouvernante, vous pouvez repartir sur-le-champ. Même si vous me proposiez une fortune, je refuserais de travailler pour vous.

— Ne vous inquiétez pas, j'ai renoncé à l'idée.

— Mais vous n'avez pas renoncé à me séduire, n'est-ce pas ?

Gagnée par la colère, elle planta les poings sur ses hanches et poursuivit d'un ton acerbe :

— Sous quel prétexte avez-vous faussé compagnie à Byron ? Un aller-retour aux toilettes, peut-être ?

Royce haussa un sourcil moqueur.

— Avec un verre de cognac et un cigare ? Non, je lui ai dit la vérité.

— Que vous alliez draguer la cuisinière ? lança Melanie sur un ton plein de défi.

— *Draguer* la cuisinière ? répéta Royce, faussement choqué. Pourquoi me donnerais-je la peine de draguer une femme qui m'a clairement fait comprendre que je ne l'intéressais pas ? Ou bien aurais-je mal compris ?

Ses pupilles s'étrécirent tandis que Melanie s'empourprait violemment.

— Peut-être jouez-vous ce petit jeu avec tous les hommes qui tombent sous votre charme irrésistible ? reprit-il. Vous aimez vous faire prier pour mieux attiser leur désir, c'est ça ?

— Vous êtes complètement fou !

— Oui, admit-il dans un sourire. Je suis fou de vous. Et je ne crois pas à votre indifférence. Votre corps vous trahit, Melanie, tout comme vos airs faussement offusqués. Si vous voulez mon avis, vous me désirez autant que je vous désire.

Au prix d'un effort, Melanie afficha un air de dédain suprême. Dieu merci, Royce ne pouvait pas lire dans ses pensées !

— Vous êtes un véritable goujat ! Et vous vous trompez complètement : je hais les hommes de votre genre. Je les *hais*, vous m'entendez ?

— Votre véhémence jette le doute sur votre sincérité, fit-il observer d'un ton suave avant d'avaler d'un trait le reste de cognac.

Puis il contourna le comptoir et s'approcha d'elle. Plus il avançait, plus Melanie sentait le piège se refermer sur elle. L'athlétique silhouette de Royce bloquait la seule issue possible. Le cœur battant à coups précipités, les yeux agrandis d'effroi, elle recula d'un pas.

— Si vous me touchez, je hurle !

Il s'immobilisa pour l'examiner d'un air intrigué, la tête légèrement inclinée sur le côté.

— Vous en seriez capable...

— Absolument !

Il la contempla un moment sans mot dire. Son regard glissa sur sa poitrine palpitante avant de remonter sur son visage empourpré.

— Non, déclara-t-il finalement avec une assurance qui la fit tressaillir. Vous ne le feriez pas.

S'il l'avait saisie sans ménagement, elle aurait crié, mais il la prit dans ses bras avec une douceur infinie et, tout aussi délicatement, emprisonna son menton entre son pouce et son index pour la forcer à le regarder. Les grands yeux noirs de Melanie rencontrèrent les siens, limpides. Plusieurs secondes s'écoulèrent — une éternité— avant que sa bouche ne capture la sienne.

Comme engourdie par une étrange torpeur, Melanie se laissa faire. Dès qu'elle entrouvrit les lèvres, le baiser de Royce se fit plus intense, plus sensuel. Cédant aux délicieux assauts de sa langue, elle abandonna toute velléité de résistance. Les caresses de Royce étaient à la fois douces et exigeantes... assaillie par le désir, elle s'arqua contre lui en gémissant.

— Melanie..., susurra Royce en promenant ses lèvres brûlantes sur sa gorge. Passez la nuit avec moi. J'ai demandé à Byron si vous pouviez prendre un jour de congé demain. Je lui ai dit que je voulais vous prier de me servir de guide, mais il a eu l'air sceptique.

Ses lèvres trouvèrent son oreille et elle frémit longuement lorsqu'il titilla du bout de la langue son lobe velouté.

— Il ne connaît pas votre vraie nature, n'est-ce pas ?

« Votre vraie nature »...

Etouffant net son désir, ces quelques mots lui firent l'effet d'un coup de poignard en plein cœur. « Votre vraie nature »... D'un mouvement sec, elle s'arracha à son étreinte et leva la main pour le gifler. Plus vif qu'elle, Royce lui attrapa le poignet en secouant la tête d'un air réprobateur.

— Arrêtez, Melanie, ça ne sert à rien. J'aime votre vraie nature.

— Vous ne savez pas de quoi vous parlez, protesta-t-elle d'un ton rageur. Vous ne connaissez pas ma vraie nature... et vous ne la connaîtrez jamais !

— Dans ce cas, je me contenterai de la Melanie que je viens d'embrasser et qui m'a rendu mon baiser avec une ardeur contagieuse. Personnellement, c'est cette femme que j'ai envie de découvrir.

— Oh, je n'en doute pas un instant, rétorqua-t-elle en se libérant d'un geste brusque. Le seul problème, c'est que je n'ai aucune envie de faire plus ample connaissance. Vous ne me plaisez pas, Royce Grantham.

Il laissa échapper un rire moqueur.

— Ce n'est pas l'impression que vous m'avez donnée.

— Et si j'avais envie d'une présence masculine, tout simplement ? répliqua Melanie. Si j'avais envie d'un homme... de n'importe quel homme ? Cette pensée ne vous a donc pas effleuré l'esprit ? poursuivit-elle avec une assurance qu'elle était loin d'éprouver. Les veuves sont souvent la proie du désespoir et d'immenses frustrations, vous savez.

— Est-ce ce que vous êtes, Melanie ? Une femme désespérée ? dit Royce avec douceur.

— Pas désespérée au point de coucher avec un homme comme vous !

Le regard de son compagnon s'assombrit tandis que ses traits se durcissaient.

— Votre petit jeu commence à me fatiguer, Melanie. Vous allez passer le week-end avec moi, un point c'est tout !

— Certainement pas !

Les mâchoires de Royce se contractèrent.

— Ne soyez pas stupide.

— Et ne soyez pas si arrogant !

— Melanie, je vous en prie...

Elle l'interrompit d'un rire sans joie.

— N'essayez pas de m'amadouer, Royce Grantham, ce rôle vous va terriblement mal. Partez. Je ne vous tiendrai pas compagnie cette nuit ; je ne vous servirai pas de guide ce week-end.

Il l'enveloppa d'un long regard.

— Est-ce votre dernier mot ?

— Oui.

— Je pourrais vous embrasser de nouveau, juste pour vous prouver que vous n'êtes pas honnête avec vous-même.

Une lueur de panique embrasa le regard de Melanie, provoquant la confusion et l'irritation de Royce.

— Je ne vous comprends pas, Melanie Lloyd. Si vous n'éprouviez aucune attirance pour moi, j'accepterais votre refus ; si vous n'étiez pas disponible, je m'inclinerais de bonne grâce. Mais il n'y a personne d'autre, n'est-ce pas ? J'aimerais savoir pourquoi je vous effraie tant...

— Vous ne me faites pas peur, protesta-t-elle faiblement.

— Oh si, je vous fais peur. Vous êtes même terrifiée. Et j'ai bien l'intention de découvrir pourquoi. J'accepte votre refus ce soir, mais notre histoire n'est pas terminée ; au contraire, elle vient à peine de commencer. Je vous appellerai demain, après-demain et le jour d'après. Tôt ou tard, vous finirez par me dire la vérité ou vous cesserez de lutter… et vous accepterez de sortir avec moi.

Sur ce, il fit le tour du comptoir et quitta la pièce. Interloquée, Melanie le suivit des yeux. Lorsque la porte se fut refermée sur lui, la panique qui la tétanisait céda la place à une vive indignation. Cet homme ne manquait pas de toupet… quel monstre de fierté et d'arrogance ! Il avait grand besoin d'être remis à sa place. Et elle prendrait un malin plaisir à s'en charger !

« Ah oui, vraiment ? susurra une petite voix moqueuse dans son esprit. Facile à dire, n'est-ce pas ? Mais que se passera-t-il s'il t'embrasse de nouveau ? Peux-tu prétendre que tu sauras résister au désir qui te submerge dès qu'il s'approche de toi ? Aurais-tu trouvé la force de le repousser si ses caresses s'étaient précisées… s'il avait glissé une main dans ton corsage, par exemple ? »

Un long frisson la parcourut tandis que des images infiniment érotiques défilaient dans son cerveau confus. Submergée par une vague de honte, elle sentit ses tétons se durcir dans l'étoffe de dentelle de son soutien-gorge. Royce aurait pu lui faire l'amour ici, dans la cuisine, s'il s'était montré plus audacieux.

Un bruit de pas la fit sursauter et elle fixa la porte, le cœur battant. L'instant d'après, Byron fit son apparition, occupé à défaire ses boutons de manchettes.

— Ça y est, annonça-t-il, ils sont tous partis. Kyle a proposé de raccompagner Royce à son hôtel. Je suppose que c'est à vous que je dois son départ précipité ?

70

— A moi ?

Byron émit un rire rauque.

— Le pauvre semblait complètement abattu après sa brève visite dans la cuisine. Je l'avais pourtant prévenu que vous refuseriez sa proposition mais il n'a rien voulu savoir. Je lui ai dit très clairement que vous n'acceptiez jamais les rendez-vous galants, qu'il perdait son temps en insistant.

Melanie se raidit. Pour une raison qu'elle ne s'expliquait pas, l'amusement de Byron l'irrita.

— Comment savez-vous que je ne sors jamais ? demanda-t-elle par bravade.

Byron leva les yeux. L'étonnement se lisait sur son visage.

— Vous ne m'avez jamais caché votre opinion sur la gent masculine, chère Melanie. Et je vous comprends tout à fait.

« Non, Byron, vous ne comprenez *rien*, justement, songea la jeune femme avec amertume. Vous ne *savez* rien. »

— Royce vous a-t-il contrariée ? demanda-t-il à brûle-pourpoint.

— Non… non, pas du tout, répondit-elle dans un soupir.

Il la considéra d'un air songeur.

— Vous auriez peut-être dû accepter son invitation. I! est peut-être temps pour vous de…

Melanie releva le menton.

— De quoi, Byron ?

— De tourner la page, de reprendre goût à la vie. Vous avez changé, ces derniers temps, chère Melanie. N'avez-vous rien remarqué ? Vous vous intéressez davantage à ce qui vous entoure au lieu de vous perdre dans le travail. Quand j'ai dit à Royce que vous faisiez partie de la famille, je le pensais sincèrement, vous savez.

71

Les paroles de Byron la plongèrent dans ses pensées. Il avait raison… le changement s'était amorcé lorsque Nathan avait ramené Kirsty et Gemma à Belleview, quelques semaines plus tôt. Comment garder ses distances avec deux jeunes personnes aussi vives et sympathiques ? Du jour au lendemain, la maison s'était emplie de rires et de joie. A leur contact, le cœur blessé de Melanie avait commencé à se réchauffer, elle était sortie prudemment de son cocon. Lorsque Nathan et Gemma avaient emménagé ensemble, elle s'était inquiétée pour la jeune femme. C'était d'ailleurs pour cette raison qu'elle était passée la voir en ville dans l'après-midi ; elle désirait s'assurer que tout allait bien pour elle.

Elle fronça les sourcils. Gemma ne lui avait pas paru très heureuse ce soir, au dîner…

Elle sursauta quand Byron lui toucha doucement l'épaule.

— Allez vous coucher, Melanie, vous avez l'air épuisée. Ne vous donnez pas la peine de me préparer le petit déjeuner demain matin, je dois me lever tôt pour aller jouer au golf. Je mangerai quelque chose au club. Merci encore pour le dîner, c'était exquis. Qu'allons-nous devenir si vous décidez un jour de nous quitter ?

Sur un sourire chaleureux, il tourna les talons.

Une fois seule, Melanie termina de ranger la cuisine. Byron avait vu juste, songea-t-elle en s'activant. Elle avait changé. Des émotions qu'elle avait cru mortes à jamais étaient de train de ressusciter, lentement mais résolument. Il était temps de tourner la page, oui…

Bien sûr, elle ne serait jamais plus comme avant ; Joel avait bouleversé sa vie de manière irréversible. Jamais plus elle ne pourrait aimer un homme sans retenue, lui vouer une confiance aveugle. Elle ne se remarierait donc pas. Quant à avoir un autre enfant… Elle ne se sentait pas non plus la force d'assumer une nouvelle maternité. La simple vue d'un bébé lui déchirait le cœur, au point qu'elle prenait soin d'éviter toutes les femmes avec des poussettes.

Que lui réservait donc l'avenir ? En quoi la vie serait-elle différente, à présent ?

Presque malgré elle, elle pensa à Royce Grantham.

— Maudit soit-il ! maugréa-t-elle en se dirigeant vers sa chambre.

Avec des gestes rageurs, elle se déshabilla rapidement et jeta ses vêtements sur une chaise. En allant chercher sa nuisette, elle surprit son reflet dans la psyché. Comme poussée par une force invisible, elle s'approcha du miroir pour examiner son corps nu, encore vibrant de désir. Tremblantes, ses mains effleurèrent ses tétons durcis, glissèrent sur son ventre frémissant. Et tout à coup, un éclair la foudroya… Royce Grantham avait raison : elle le désirait avec une intensité inouïe ; son corps, le traître, souffrait déjà de leur séparation.

Secouée d'un violent frisson, elle se laissa submerger par l'onde de chaleur qui coulait dans ses veines. Plongeant les doigts dans la masse soyeuse de ses cheveux, elle ôta les épingles de son chignon. De longues mèches aux reflets bleutés cascadèrent sur ses épaules. Que ressentirait-elle si elle se tenait ainsi devant Royce, si elle acceptait de se noyer dans son regard clair, brillant de désir ?

La violence de sa réaction la bouleversa. Jamais elle ne pourrait lui résister, c'était sans espoir !

« Pourquoi devrais-tu lui résister ? souffla une petite voix espiègle. Pourquoi n'aurais-tu pas le droit, toi aussi, de croquer la vie à pleines dents… au jour le jour, sans promesses ni engagement ? Le genre de vie que mène Royce, comme tant d'autres gens. De toute façon, il n'y a aucun risque que tu tombes amoureuse d'un homme comme lui. Tu as déjà exploré cette voie et tu n'as aucune intention de t'y enliser de nouveau. Il suffit de te blinder… »

Melanie contempla longuement son reflet, tiraillée par des émotions contradictoires. Excédée par sa propre faiblesse, elle s'empara de sa nuisette et alla se coucher. Paupières closes, elle enfouit son visage dans l'oreiller, priant pour sombrer sur-le-champ dans un sommeil sans rêve.

Mais l'idée continua à faire son chemin, sournoise, insidieuse. Le désir inonda son esprit en même temps qu'une nouvelle source d'énergie, troublante, irrésistible, jaillissait en elle. Elle eut soudain l'impression de renaître à la vie en tant que femme, créature sensuelle dont elle avait trop longtemps nié les envies et les désirs. Que risquait-elle, au fond, en succombant au charme de Royce Grantham ? C'était l'amour qui faisait souffrir, pas la passion physique. Si elle acceptait de vivre une aventure avec lui, elle poserait d'abord ses conditions.

Cette décision la surprit elle-même. Etait-ce la même femme qui avait laissé Joel régenter le moindre détail de leur existence ? La seule fois où elle avait pris une décision importante, un drame s'était produit. Peut-être l'histoire se répéterait-elle avec Royce …

« Ne sois pas ridicule, enfin ! argua la nouvelle Melanie. Tu ne vas tout de même pas attendre le bon vouloir de Royce, maintenant que ta décision est prise. Et ton amour-propre, dans tout ça ? Tu n'es plus une enfant ! Tu es une femme en pleine santé, en proie à des désirs et des envies somme toute très ordinaires. Royce est de passage, il est exactement l'homme de la situation… Allez, lance-toi, poursuivit la petite voix de la tentation, mais à tes conditions ! »

Sur une impulsion, Melanie sauta de son lit, remonta le couloir d'un pas vif et pénétra sans bruit dans la cuisine. Là, elle ouvrit le placard qui abritait les annuaires téléphoniques et chercha fébrilement le numéro de l'hôtel Regency. Après l'avoir griffonné sur un morceau de papier, elle regagna sa chambre.

D'une main tremblante, elle décrocha le téléphone et composa le numéro. Malgré l'heure tardive — il était plus de 1 heure du matin —, la réceptionniste lui passa directement la chambre de Royce. La sonnerie retentit plusieurs fois, sans réponse. Gagnée par une nervosité grandissante, Melanie s'apprêtait à raccrocher lorsqu'une voix rauque retentit dans le combiné.

— Allô ?
— Royce ?
— Oui. Qui est à l'appareil ?
— Melanie.

Un silence lui répondit. Elle déglutit avant de se jeter à l'eau.

— J'ai changé d'avis pour demain, si vous êtes toujours intéressé.

Le silence se prolongea.

— Vous l'êtes ou vous ne l'êtes plus ?
— Permettez que je me remette de ma surprise.

Melanie ne put réprimer un rire ironique.

— Votre surprise ? Vous sembliez plutôt sûr de votre victoire, pourtant... C'est d'ailleurs pour cette raison que j'ai décidé d'anticiper votre prochain mouvement et d'entrer dans le vif du sujet.

— A savoir ?
— Notre attirance physique, le fait que nous ayons envie de coucher ensemble, tous les deux.

Elle l'entendit retenir son souffle et en conçut une certaine satisfaction.

— Que se passe-t-il, Royce ? Vous aurais-je mal compris, par hasard ? Seules mes compétences de guide vous intéressent, c'est ça ?

— Pour l'amour de Dieu, Melanie, cessez de parler ainsi. Je ne vous reconnais pas !

De nouveau, Melanie ne put s'empêcher de rire.

— Il me semble vous l'avoir déjà dit, Royce : vous ne connaissez rien de ma vraie personnalité.

— Essayez-vous de me faire croire que j'ai affaire en ce moment à la vraie Melanie ?

— C'est possible. C'est en tout cas la seule que vous pourrez approcher. C'est à prendre ou à laisser.

Il y eut une nouvelle pause. Dérangeante, celle-ci.

— Je prends, déclara-t-il finalement d'un ton brusque.

— C'est bien ce que je pensais. Avez-vous de quoi écrire ?

— Je pense, oui...

Elle entendit le bruit d'un tiroir qu'on faisait coulisser.

— Que suis-je censé noter ?

— L'adresse où vous passerez me prendre demain soir.

— Pourquoi ne puis-je pas venir vous chercher à Belleview ?

— Il n'en est pas question. Que penserait Byron ?

— Qui se soucie de ce qu'il pense ?

— Moi. Pouvez-vous vous procurer une voiture ? Je n'aime pas me déplacer en taxi le samedi soir ; ils conduisent comme des fous.

— Je me débrouillerai pour en louer une.

— Parfait. Alors voici l'adresse...

Il la répéta après l'avoir notée.

— Avec un plan de la ville, vous trouverez facilement. Vous avez la journée pour vous repérer !

— A quelle heure voulez-vous que je passe vous prendre ?

— 20 heures pile. Oh, Royce... une dernière chose...

— Oui ?

— Ne sonnez pas à la porte. Contentez-vous de klaxonner, je serai prête.

Sans attendre sa réponse, elle raccrocha. Son cœur battait à coups redoublés tandis qu'un violent tremblement agitait ses mains. Ses joues étaient brûlantes. Pourtant, elle avait réussi à s'exprimer d'un ton incroyablement posé, presque froid. C'était comme si deux femmes cohabitaient en elle : l'ancienne Melanie et la nouvelle. Et en cet instant précis, la première prit pleinement conscience de ce qu'elle venait de faire.

— Oh mon Dieu ! gémit-elle alors. Mon Dieu…

Accablée de honte et de regrets, elle cacha son visage dans ses mains. Hélas, il était trop tard pour changer d'avis. La nouvelle Melanie s'y opposerait farouchement. Les deux femmes qui se côtoyaient en elle avançaient main dans la main, malgré elles… et elles fonçaient droit dans le mur !

6.

— Gemma ! s'écria Melanie en ouvrant la porte d'entrée. Que faites-vous ici ?

Elle était surprise de voir la jeune femme en ce samedi matin, alors qu'il était à peine 11 heures.

— Je voulais vous voir.

— Moi ?

— Oui. J'aimerais vous parler en privé. Qui est à la maison ? Ava, sans doute… et Byron ?

— Byron est parti jouer au golf et Ava est sortie, aussi surprenant que cela puisse paraître. Je crois qu'elle est allée chez le coiffeur avant de faire les magasins.

— Alors nous sommes seules ?

— Oui. Il n'y a que le jardinier qui travaille derrière.

Exhalant un soupir, Gemma pénétra dans le hall.

— Quel soulagement ! Au moins, je ne serais pas obligée de sourire ni de faire semblant que tout va bien.

Désireuse d'échapper au regard pénétrant de Melanie, elle se détourna pour accrocher sa veste en daim dans l'armoire. Elle avait longuement réfléchi avant de venir à Belleview, ce matin. Il n'était pas facile d'admettre que son mariage était déjà en péril… Finalement, le bon sens l'avait emporté : elle avait désespérément besoin de conseils pour sauver son couple et Melanie lui semblait être la confidente idéale.

Forçant son courage, elle se retourna pour affronter son regard intrigué.

— Vous n'avez pas quitté Nathan, j'espère ? s'enquit Melanie.

Gemma ferma les yeux. Posée quelques semaines plus tôt, cette question l'aurait fait bondir. Quand Nathan avait cru qu'elle le quittait après leur premier accrochage, au beau milieu de leur lune de miel, Gemma était tombée des nues. A ses yeux, le mariage symbolisait un engagement pour la vie ; jamais elle n'avait envisagé l'éventualité d'un divorce... jusqu'à ce matin.

— Gemma ? répéta Melanie d'un ton où perçait l'inquiétude.

Elle rouvrit les yeux dans un soupir.

— Non, je n'ai pas quitté Nathan. Pas encore, en tout cas.

— Allons parler de tout ça tranquillement, d'accord ? Où voulez-vous que nous nous installions ?

— Au salon, si cela ne vous dérange pas. J'aimais beaucoup cette pièce quand je vivais ici. Elle est moins impressionnante que le reste de la maison. Ailleurs, j'ai toujours peur de renverser un bibelot ou un objet d'art !

Melanie esquissa un sourire. Gemma l'examina du coin de l'œil : elle paraissait encore plus sévère que d'ordinaire, avec son visage dénué de maquillage et ses cheveux tirés en arrière. Nathan avait probablement vu juste, la veille au soir : Royce Grantham avait peu de chance de réussir à la séduire. Dommage. Une idylle entre Royce et Melanie aurait rassuré Nathan, ramenant du même coup un semblant de paix dans leur couple.

Avec un profond soupir, Gemma se laissa tomber dans un des confortables fauteuils en cuir qui faisaient face au gigantesque écran de télévision.

— Désirez-vous un peu de café ? proposa Melanie. Je m'apprêtais à m'en servir une tasse.

— Ce serait formidable, merci.

— J'apporterai aussi les fameux biscuits au chocolat d'Ava. Elle a juré de ne plus y toucher… et vous semblez avoir besoin d'une bonne dose d'énergie.

— Je n'ai pas beaucoup dormi, cette nuit.

Une lueur amusée brilla fugitivement dans le regard de Melanie. Mortifiée, Gemma la regarda s'éloigner. S'imaginait-elle que Nathan lui avait fait l'amour passionnément toute la nuit ?

Gemma réprima un gémissement. Certes, il avait voulu lui faire l'amour, comme tous les soirs depuis qu'ils étaient mariés, mais la tension qu'elle avait accumulée tout au long de la journée l'avait empêchée de répondre à ses caresses. C'était la première fois que cela se produisait. Frustré par son apathie, Nathan avait redoublé d'ardeur, espérant probablement lui arracher un soupir de plaisir avec des baisers exigeants et des caresses dénuées de douceur.

Malheureusement, sa violence à peine contenue avait fait resurgir en Gemma des souvenirs qu'elle avait cru à jamais enterrés. Tout à coup, ce n'était plus la bouche de Nathan qui l'embrassait, mais celle de *l'autre* ; ce n'étaient plus ses mains qui la caressaient, mais celles de *l'autre*. Submergée par une vague de panique, elle s'était figée tout comme elle l'avait fait autrefois au contact de cette ignoble brute. Mais si l'autre n'avait pas été capable d'aller au-delà, Nathan, lui, ne s'était pas contenté de quelques caresses.

Lorsque son mari avait pris possession d'elle, Gemma avait brusquement émergé du brouillard qui l'engourdissait. C'était son mari qui lui faisait l'amour, l'homme qu'elle aimait, ce n'était pas un agresseur. Consumée par la culpabilité, elle avait fait une chose inédite. Elle avait feint de prendre du plaisir. Au sommet de la jouissance, Nathan avait laissé échapper un long râle de triomphe. A l'évidence, il ne s'était douté de rien.

— Tu es à moi, avait-il murmuré contre ses cheveux en la serrant dans ses bras pendant un long, un interminable moment.

Lorsqu'il s'était endormi, Gemma s'était lentement détachée de lui. Tremblant de froid et de désespoir, elle était restée allongée à son côté, les yeux rivés au plafond, incapable de trouver le sommeil. L'aube pointait quand la fatigue avait eu raison d'elle.

A 9 heures, Nathan l'avait réveillée en lui apportant le petit déjeuner au lit. Il avait déjà appelé la directrice de la boutique pour la prévenir de son absence. Il l'avait embrassée avant de lui ordonner de rester à l'appartement sans répondre au téléphone ni ouvrir la porte. Comme elle s'apprêtait à protester, il l'avait réduite au silence en déclarant qu'elle lui obéirait sans poser de question si elle l'aimait vraiment. Il aurait préféré passer la journée avec elle, mais Kirsty n'était pas encore prête à accepter sa présence. Prenant son silence indigné pour un assentiment, il l'avait embrassée en lui promettant de rentrer tôt, puis il était parti.

Désemparée, Gemma avait mis du temps avant de reprendre ses esprits. Elle avait soudain songé à Melanie et s'était préparée en un temps record, pressée de pouvoir se confier à la gouvernante de Belleview.

Prenant appui contre le moelleux dossier, Gemma se força à respirer lentement. Lorsque Melanie la rejoignit, elle se sentait déjà plus détendue.

— Je dois vous avouer que votre visite me surprend un peu, déclara cette dernière en servant le café. Vous paraissiez tellement heureuse, hier, quand je vous ai vue à la boutique. Que s'est-il passé depuis ?

Gemma secoua la tête.

— C'est une bonne question.

— C'est pour cela que je vous la pose, dit Melanie en lui tendant une tasse de café.

— Royce Grantham est arrivé, voilà ce qui s'est passé, répondit Gemma avant de prendre une petite gorgée du breuvage brûlant.

Au bout de quelques instants, elle leva les yeux et rencontra le regard stupéfait de Melanie.

— Oh, ne vous méprenez surtout pas sur le sens de mes paroles, ajouta-t-elle vivement. Il n'a pas du tout essayé de me séduire, loin de là. Je ne suis pas aveugle, Melanie. J'ai bien vu hier soir que vous lui plaisiez énormément. C'est d'ailleurs à cause de vous qu'il a poussé la porte de la boutique. Il vous avait aperçue par la vitrine et il semblerait qu'il soit tombé sous le charme. Il m'a posé quelques questions à votre sujet, prétextant qu'il pensait vous connaître.

— Ce bon vieux numéro, commenta Melanie en esquissant un sourire narquois. Je l'aurais cru plus imaginatif. Toujours est-il que son plan a fonctionné puisqu'il m'a revue le soir même. Puis-je savoir ce que vous lui avez dit sur moi, Gemma ?

— Pas grand-chose. Je lui ai simplement expliqué que vous travailliez chez Byron. Ensuite, il m'a demandé des renseignements sur l'Opale noire. Quelques minutes plus tard, Nathan est entré dans la boutique et tout a basculé.

Melanie haussa les sourcils.

— Pourquoi ?

— Nathan l'a reconnu sur-le-champ, contrairement à moi. Je ne m'intéresse pas aux célébrités, vous savez, encore moins aux sportifs. Tout à fait franchement, je n'avais jamais entendu parler de Royce Grantham avant hier.

— Si cela peut vous consoler, moi non plus !

Gemma ne put s'empêcher de sourire. Mais son joli visage se ferma de nouveau quand elle reprit son récit.

— Pour une raison qui m'échappe, Nathan s'est mis dans la tête que Royce Grantham tentait de me séduire. Il n'a pas voulu me croire quand je lui ai expliqué que c'était vous qui l'intéressiez. Indifférent à mes protestations, il m'a mis en garde contre cet homme — un incorrigible séducteur, selon lui, qui ne reculerait devant rien pour me revoir. Je lui ai tenu tête… et notre conversation a vite tourné à la dispute. Je vous laisse imaginer ce qu'il a pensé en apprenant que Royce Grantham était l'invité mystère de Byron… J'aurais voulu disparaître dans un trou de souris.

— La surprise fut générale, souligna Melanie avec une pointe de sarcasme dans la voix.

Gemma fronça les sourcils.

— Vous ne l'appréciez pas, Melanie ? Je croyais pourtant que…

— Cet homme est rusé comme un renard, coupa-t-elle. Je pense qu'il faut s'en méfier comme de la peste.

Gemma sentit son cœur chavirer.

— Nathan m'a tenu les mêmes propos. Pour ma part, je… je l'ai trouvé plutôt gentil.

— Gentil ? Ce n'est qu'un sale hypocrite, oui !

— Vous devez me trouver bien naïve, vous aussi.

— Je vous trouve surtout très jeune.

— Jeune et stupide, marmonna Gemma, en proie à un profond désarroi.

— Je n'ai pas dit ça, Gemma ! Vous êtes loin d'être stupide.

— Ce n'est pas ce que pense Nathan. Il me traite comme une enfant, c'est agaçant. Figurez-vous qu'il m'a interdit d'aller travailler aujourd'hui parce qu'il craignait que Royce Grantham vienne me trouver à la boutique. Et avant de partir, il m'a ordonné de ne pas répondre au téléphone ni à l'Interphone.

— Il essaie sans doute de vous protéger… Les hommes comme Royce Grantham peuvent se montrer particulièrement insistants, vous savez ; qui plus est, ils n'ont aucun scrupule à courtiser une femme mariée. Malgré tout, je ne pense pas que vous soyez vraiment en danger.

— Si seulement vous pouviez en convaincre Nathan… il est devenu complètement paranoïaque ! Ne voit-il pas que je suis follement amoureuse de lui ? Je n'ai d'yeux que pour lui… les autres n'existent même pas, pour moi. J'aime mon mari, Melanie. Pourquoi n'a-t-il pas confiance en mon amour ?

— Je ne sais pas, Gemma. Nathan est quelqu'un de très complexe. Aucun de nous ne le connaît vraiment. Il a probablement vécu de gros traumatismes pendant son enfance et son adolescence. Vous devriez peut-être essayer de l'interroger au sujet de sa mère et de l'éducation qu'il a reçue…

Gemma eut un rire amer.

— J'ai déjà essayé, mais il refuse de parler du passé… même du mien ! Peu de temps après notre rencontre, il m'a dit qu'il voulait tout savoir sur moi mais chaque fois que je commence à lui parler de Lightning Ridge, de la vie que je menais là-bas auprès de mon père, il trouve le moyen de changer habilement de sujet.

— Ah bon ? Comment s'y prend-il ?

Gemma rougit.

— La plupart du temps, il me fait l'amour… Je… j'aime ça, je l'admets, mais j'ai la désagréable impression que nous ne partageons pas grand-chose en dehors de notre attirance physique. J'ai bien observé Jade et Kyle, hier soir. J'envie la complicité, la camaraderie qui les unit. Ces deux-là semblent tout partager. C'est exactement ce que j'aimerais vivre avec Nathan, Melanie. J'en ai besoin. Je... je ne pourrai pas passer ma vie avec l'impression de n'être pour mon mari qu'un... un...

— Un objet ?

Gemma cligna des yeux, interloquée.

— C'est bien ce que vous ressentez, n'est-ce pas ? continua Melanie sans ambages. Vous avez l'impression d'être le joujou préféré de Nathan. Une de ses belles créations.

Le visage de la jeune femme s'éclaira.

— Oui ! Oui, c'est exactement ça !

— Il m'en coûte de vous demander ça, mais pensez-vous qu'un bébé pourrait vous rapprocher ?

Gemma secoua la tête.

— Nathan pense qu'il est encore un peu tôt.

— Et vous, Gemma, qu'en pensez-vous ?

— Je... je partage son avis.

— Vous m'étonnez. Je croyais que vous aviez hâte d'avoir un enfant.

— Oui, c'est vrai mais... mais je ne suis pas sûre que...

— Que quoi ?

Gemma leva sur Melanie un regard empreint de tristesse.

— Je ne suis pas sûre que Nathan m'aime vraiment.

— Je vois. Vous pensez qu'il n'éprouve que du désir pour vous, c'est ça ?

— Je ne sais pas...

Un bref silence s'installa entre elles.

— Et vous, Gemma ? Etes-vous sûre des sentiments que vous éprouvez pour Nathan ?

Les yeux noisette de Gemma s'arrondirent de surprise.

— Que... que voulez-vous dire ? J'aime Nathan.

— En êtes-vous sûre ? Vous êtes encore très jeune et Nathan est un homme extrêmement séduisant. Les femmes aussi peuvent être victimes du désir, vous savez, ce qui les conduit parfois à épouser des hommes qui ne leur correspondent pas du tout. Il arrive qu'elles confondent le désir avec l'amour et s'enlisent du même coup dans des situations inextricables...

Sa voix n'était plus qu'un faible murmure et son regard semblait étrangement voilé. Elle se ressaisit brusquement, affichant de nouveau le masque neutre, presque froid, qu'elle avait coutume d'arborer.

— Le temps nous dira ce qu'il en est vraiment, trancha-t-elle. Si le désir s'émousse au fil des jours, l'amour, lui, reste intact quand il existe vraiment. Dans ces conditions, vous avez raison de ne pas vouloir d'enfant tout de suite, Gemma. Attendez d'être sûre à la fois de vos sentiments et de ceux de Nathan. Et surtout, ne le laissez pas vous traiter comme un objet. Il n'a aucun droit sur vous, vous comprenez, même si vous êtes sa femme. Si vous n'avez pas envie de faire l'amour, dites-le-lui clairement.

Les joues de Gemma s'empourprèrent comme le souvenir de la nuit passée affluait à son esprit.

— Je... je n'ai pas osé, hier soir, admit-elle dans un murmure. Je l'ai laissé faire et j'ai... j'ai feint d'y prendre du plaisir.

Melanie la considéra d'un air stupéfait.

— Je... j'étais contrariée, reprit Gemma, horriblement gênée. Et fatiguée. Nathan a insisté pour faire l'amour mais c'était comme si mon corps tout entier était devenu insensible. Il a commencé à s'impatienter, alors j'ai pris peur et... et j'ai fait semblant...

— Le salaud, lâcha Melanie. C'est presque un viol, Gemma, vous ne comprenez donc pas ?

Le ton rageur de Melanie la fit frémir.

— Non ! protesta-t-elle avec véhémence. Non, ça n'a rien à voir… Nathan est mon mari !

— Pour l'amour du ciel, Gemma, est-ce que cela lui donne le droit de vous faire l'amour contre votre gré ?

— Non, bien sûr, mais… mais c'était sa façon à lui de me réconforter, acheva-t-elle d'un ton penaud.

— Vous n'avez pas à vous plier à ses quatre volontés sous prétexte que vous êtes sa femme, insista Melanie. Vous avez bien raison d'envier Jade et Kyle ; la notion de partage est essentielle si l'on veut mener une vie de couple épanouie. Ce n'est pas parce qu'elle se marie qu'une femme doit renoncer à sa propre personnalité. D'ailleurs, son compagnon perdra tout respect pour elle si elle se plie à ses moindres désirs. Il se croira tout-puissant chez lui et Dieu sait à quelles extrémités ce sentiment pourra le conduire.

Gemma dévisagea Melanie, surprise par la violence qui l'animait. Qu'avait-elle vécu pour tenir des propos aussi vifs contre les hommes ?

Consciente du trouble qu'elle avait causé chez sa compagne, Melanie se ressaisit.

— Excusez-moi, Gemma, je me suis un peu emportée. Au fond, il n'y a pas de mariage modèle ; chaque couple doit trouver son propre équilibre, en fonction de la personnalité des partenaires. Il y a toujours une période d'adaptation, ne vous inquiétez pas. Cela dit, les choses seraient plus faciles si vous communiquiez davantage, Nathan et vous. Allez, buvez votre café et goûtez ces petits gâteaux.

Gemma obéit, plongée dans ses pensées. Finalement, elle faisait peut-être une montagne d'un tout petit obstacle qui serait vite surmonté. Certes, Nathan se montrait un peu trop protecteur, voire possessif à son égard, mais n'était-ce pas la preuve qu'il l'aimait ? De retour chez elle, elle préparerait un bon dîner qu'ils savoureraient en tête à tête. Elle choisirait une bouteille de son vin préféré, mettrait une douce mélodie en fond sonore. Et lorsqu'ils s'allongeraient côte à côte sur le sofa, elle ferait un effort pour se montrer plus audacieuse. Peut-être même…

Un léger frisson lui parcourut l'échine. Non, pas ça. Elle ne se sentait pas encore prête.

— Passez me voir quand vous voulez, déclara Melanie en la raccompagnant à la porte, un moment plus tard. La maison est si calme, ces temps-ci ! Je soupçonne Byron de souffrir de solitude. Ava aussi, d'ailleurs.

— Et vous, Melanie, il ne vous arrive jamais de vous sentir seule ?

— De temps en temps, si, admit-elle.

— Accepteriez-vous de sortir avec M. Grantham s'il vous le proposait ?

— Pour rien au monde.

— Pourquoi pas ? insista Gemma en enfilant sa veste en daim.

— Parce qu'il ne me plaît pas.

— J'aurais pourtant cru le contraire. Hier soir, vous… vous…

A son grand désarroi, Melanie sentit son visage s'empourprer. Consciente du regard perspicace de Gemma, elle déclara d'un ton guindé :

— Je reconnais qu'il possède un charme certain… mais il a aussi un ego surdimensionné. Je n'aime pas les égocentriques.

Elle ouvrit la porte d'entrée. Un flot de soleil hivernal inonda le hall.

— Je ne vous suggérais pas de l'épouser, Melanie, corrigea Gemma d'une voix teintée d'impatience.

Leurs regards se rivèrent l'un à l'autre quelques instants.

— Je m'en souviendrai, Gemma, déclara finalement Melanie.

— Alors, vous direz oui s'il vous invite à dîner ?

— Oh, Gemma, oubliez cette histoire, voulez-vous ! s'écria Melanie en la poussant gentiment sur le perron. Rentrez chez vous et ne faites pas de bêtises, d'accord ? Au fait, j'allais oublier... Le détective privé a-t-il trouvé des pistes intéressantes concernant vos origines ?

— Absolument rien. Soupçonneux et secrets, les gens de Lightning Ridge refusent de lui parler. Si l'on se réfère aux registres d'état civil et aux autres documents officiels, ni mon père ni ma mère n'existent aux yeux de la loi. Papa n'a jamais rempli de déclaration d'impôts. On aurait pu retrouver sa trace dans les archives du ministère des Transports — après tout, il avait un permis de conduire pour son vieux camion. Mais là encore, il semblerait qu'il ait été enregistré sous une fausse identité. J'ai dit à Nathan d'arrêter les recherches. C'est une perte de temps et d'argent.

— Quel dommage !

— Selon Nathan, c'est mieux ainsi. Certaines personnes en quête de leurs racines découvrent parfois un passé traumatisant.

— Je suis d'accord avec lui, concéda Melanie.

— Pas moi. J'éprouve une angoisse terrible à l'idée de ne pas savoir qui était ma mère, de ne pas connaître son nom, de ne pas pouvoir imaginer comment elle était. En vérité, je n'ai pas perdu tout espoir. Un jour, je me rendrai moi-même à Lightning Ridge pour mener ma propre enquête. J'aurai peut-être plus de chance qu'un étranger.

— Vous avez raison.

— Bon, je vous laisse. Merci pour tout, Melanie. Ça m'a fait du bien de parler avec vous.

— Je ne vous ai pourtant pas beaucoup aidée...

— Si, au contraire ! Au revoir, Melanie, à bientôt.

Agitant la main, elle dévala les marches du perron et s'engouffra dans la petite voiture blanche que Nathan lui avait offerte — un cadeau parmi tant d'autres... En s'installant au volant, elle esquissa un sourire. Nathan l'aimait, c'était évident. Comment avait-elle pu douter un seul instant des sentiments de son époux ? En regagnant son domicile, Gemma décida de lui faire confiance, envers et contre tout.

7.

Melanie avait demandé à Royce de passer la chercher chez son frère à 20 heures car elle savait que la maison serait vide. Ron et Frieda passaient tous leurs samedis soir à l'Amicale du quartier ; ils quittaient la maison à 18 h 30 pour rentrer aux environs de 22 heures. Ils n'avaient qu'un fils, Wayne, un beau jeune homme de dix-neuf ans. Selon Frieda, Wayne avait pris l'habitude de passer le week-end chez sa petite amie, au grand dam de la mère de celle-ci.

Melanie avait prévu de laisser un mot à son frère et sa belle-sœur pour leur expliquer qu'elle s'était rendue à une réunion dans le voisinage et qu'elle passerait la nuit chez eux, si cela ne les dérangeait pas.

Hélas, rien ne se passa comme elle l'avait prévu.

En se garant devant la maison, elle aperçut tout de suite son neveu, occupé à bricoler une de ses motos pétaradantes.

— Zut, maugréa-t-elle en sortant de la voiture.

Wayne leva les yeux en entendant le portail grincer.

— Oh, salut, tante Mel ! Qu'est-ce que tu fais là ? Tu as oublié que les parents sortaient, le samedi ?

— Non, je le sais bien, Wayne, mais j'ai besoin de prendre une robe que j'ai laissée chez vous. Je… je sors, ce soir.

Après sa dépression nerveuse, Melanie avait vécu quelque temps chez Ron et Frieda ; en partant, elle avait laissé tous les vêtements qu'elle portait quand elle était encore Mme Joel Lloyd. Ron avait hérité de la maison de famille des Foster après le décès rapproché de leurs deux parents, quelques années plus tôt, et Melanie y avait conservé sa chambre d'enfant.

Quant à elle, elle avait hérité des effets personnels de sa mère, son père ayant toujours eu une vision très désuète des rapports homme-femme. Melanie était née vingt ans après son frère et son père l'avait traitée comme quantité négligeable ; à ses yeux, le rôle de la femme se cantonnait à celui d'épouse et de mère.

Parfois, elle se demandait si cette conception du couple n'avait pas influencé son propre parcours. Après tout, n'avait-elle pas cessé de travailler après son mariage ? Folle d'ennui, elle s'était finalement inscrite à des cours d'arts ménagers qui l'avaient transformée en parfaite maîtresse de maison. C'était grâce à cette expérience qu'elle avait obtenu par la suite le poste de gouvernante à Belleview.

Submergée par une bouffée d'amertume, elle s'arracha à ses souvenirs et entra dans la maison, talonnée par Wayne, visiblement ravi de cette visite impromptue.

— Tu sors, c'est vrai, tante Mel ? demanda-t-il en la suivant jusqu'à sa chambre.

Vêtu d'un jean et d'un T-shirt maculés de cambouis, il s'allongea sur le lit, un large sourire aux lèvres.

— C'est les parents qui vont être contents. Où tu vas ?

— Pour l'amour du ciel, Wayne, sors de là ! Ta mère va t'étrangler si tu salis le couvre-lit !

Le jeune homme obéit de mauvaise grâce et se laissa tomber sur une chaise.

— Je t'en prie, tante Mel, ne deviens pas comme maman...

Cette remarque coupa Melanie dans son élan. Si elle appréciait sa belle-sœur — Frieda l'avait accueillie à bras ouverts après l'accident —, elle lui trouvait toutefois certains côtés irritants, comme par exemple l'adoration aveugle qu'elle vouait à son mari. Avec du recul, Melanie était consciente d'avoir agi de la même manière avec Joel, mais son expérience dramatique l'avait aidée à ouvrir les yeux. Frieda elle-même avait remis son couple en question un an plus tôt. A bout de nerfs, elle avait quitté le domicile conjugal, déclarant qu'elle ne rentrerait que si Ron concédait à sortir avec elle au moins une fois par semaine. D'où leurs soirées hebdomadaires à l'Amicale du quartier.

Melanie se remémora la visite surprise de Gemma, le matin même. Elle espérait de tout son cœur que la jeune femme aurait suffisamment de cran et de volonté pour tenir tête à son mari et affirmer sa vraie personnalité.

— Maman est toujours sur mon dos, marmonna Wayne. « Wayne, ne touche pas à ça », « Wayne, ne t'assieds pas là »… elle me fatigue, tu sais !

Melanie ne put s'empêcher de sourire.

— Reconnais que tu n'es pas un modèle de propreté quand tu bricoles tes motos. Tu devrais peut-être te changer avant d'entrer dans le salon.

— Ouais, peut-être…

Un sourire espiègle fendit son visage.

— J'imagine que tu aurais la même réaction si je débarquais dans ton palace avec ces vêtements.

— Ça oui ! dit Melanie en riant. Au fait, tu ne vas pas passer la nuit chez ta petite amie ? s'enquit-elle en ouvrant la porte de son armoire.

— On a décidé de ne plus se voir pendant un certain temps.

— Ah bon ? C'est ton idée ou la sienne ?

— La sienne, répondit le jeune homme dans un soupir.

— Pourquoi a-t-elle pris cette décision, à ton avis ?

— Je ne sais pas, vraiment. Elle me reproche de ne plus faire d'efforts avec elle.

— C'est vrai, ça ?

— Je suppose.

Melanie dénicha enfin la robe rouge qu'elle avait choisi de porter et se tourna vers son neveu.

— Tu as couché avec elle ?

Wayne s'empourpra violemment.

— Tante Mel...

— Alors ?

— Eh ben... oui, évidemment ! Tout le monde le fait, de nos jours. Tu... tu ne diras rien à papa et maman, hein ?

— Je t'en prie, Wayne, tes parents ne sont pas nés de la dernière pluie ! J'espère seulement que tu te protèges, ajouta-t-elle en songeant à ce qu'elle avait acheté avant de venir.

— Bien sûr, murmura Wayne. Je ne suis pas complètement stupide !

— Pourtant, je trouve ça stupide de faire quelque chose sous prétexte que tout le monde le fait, souligna Melanie. L'amour physique est quelque chose d'important, Wayne, on ne devrait le faire qu'avec quelqu'un qu'on aime vraiment. Ça devrait être...

Elle s'interrompit, consumée par la honte et la culpabilité. Qui était-elle pour donner des leçons dans ce domaine, en particulier ce soir-là ?

— Excuse-moi, Wayne, mais je dois vraiment me préparer, reprit-elle d'un ton brusque. On doit passer me prendre à 8 heures et il est déjà 7 heures passées.

— D'accord, dit Wayne en extirpant son mètre quatre-vingt-cinq de la chaise. Ai-je la permission de te demander où tu vas ?

— Je vais dîner au restaurant. En ville. Et maintenant, file !

— O.K., O.K., ne t'énerve pas, j'y vais. Si je comprends bien, tante Mel, c'est un vrai rendez-vous galant que tu as ce soir ?

Il l'examina des pieds à la tête, sans doute curieux de savoir quel genre d'homme pouvait bien avoir envie d'inviter sa tante à l'allure revêche. Puis, il disparut.

A 7 h 55, Melanie n'était plus qu'une boule de nerfs. Elle s'était enfoncé la brosse du mascara dans l'œil et avait dû appliquer deux fois son vernis à ongles… mais elle était prête, enfin !

Reculant d'un pas, elle examina son reflet dans le miroir. La femme qui lui faisait face était presque une étrangère. Elle avait fini par s'habituer à contempler chaque matin le visage sévère, dénué de tout artifice que son neveu connaissait si bien. Comment avait-elle réussi à séduire un homme comme Royce Grantham, adulé par une foule de créatures plus séduisantes les unes que les autres ?

Mais la femme qu'elle regardait aurait fait tourner la tête de n'importe quel homme. C'était la séductrice que Joel avait créée de toutes pièces dans le seul but de flatter son ego. Une femme pétillante, saisissante… et diablement sensuelle.

Avec son décolleté plongeant et ses longues manches étroites, la robe en fin lainage rouge moulait les courbes voluptueuses de son buste et s'évasait à partir des hanches en plis souples et fluides jusqu'à mi-mollet. De fins escarpins noirs remplaçaient les ballerines qu'elle portait d'habitude tandis que des bas de soie gainaient ses longues jambes fuselées.

Le rouge mettait en valeur sa carnation diaphane et sa chevelure sombre qui, pour l'occasion, tombait en vagues soyeuses sur ses épaules. Une boucle rebelle caressait son front. Melanie avait également soigné son maquillage : un trait d'eye-liner et une couche de mascara noirs accentuaient la profondeur de son regard tandis que sa bouche généreuse était peinte d'un rouge brillant parfaitement coordonné à celui de sa robe et de son vernis à ongles. Un nuage de blush rehaussait ses pommettes. Bien que le résultat fût à la hauteur de ses espérances, son cœur battait à coups redoublés dans sa poitrine. Où diable se cachait la nouvelle Melanie dont elle avait cruellement besoin en ce moment précis ?

Un coup bref fut frappé à la porte et l'instant d'après, Wayne fit irruption dans la chambre.

— Tante Mel, une Ferrar...

Il s'interrompit pour contempler d'un air médusé la jeune femme qui venait de faire volte-face. Les plis de sa robe rouge virevoltèrent gracieusement autour de ses jambes.

— Ça alors, murmura-t-il d'une voix à peine audible. Je... je...

Un sourire amusé joua sur les lèvres de Melanie.

— Que disais-tu, Wayne ?

Son neveu avança d'un pas pour mieux l'examiner.

— Tante Mel, tu es... tu es superbe ! s'écria-t-il en secouant la tête d'un air incrédule.

La jeune femme pouffa.

— Ton compliment me va droit au cœur, mais ton étonnement serait presque blessant.

Wayne haussa les épaules.

— C'est juste que... D'habitude, tu es plutôt... plutôt...

— Ordinaire ? suggéra Melanie.

Wayne fronça les sourcils, désarçonné.

— Non, pas vraiment...

— Ce n'est pas grave, Wayne. Que voulais-tu me dire ?

Son visage s'éclaira soudain.

96

— Ah oui ! Je crois que ton rendez-vous est arrivé. Au volant d'une Ferrari noire, rien que ça !

— Tiens donc.

Etait-il possible de louer ce genre de voiture ? Apparemment, oui. Et si Royce était là, pourquoi n'avait-il pas klaxonné ? Le carillon de l'entrée lui apporta la réponse.

— Je vais ouvrir, tante Mel ! s'écria Wayne en se ruant dans le couloir.

— Flûte, flûte, flûte et re-flûte, marmonna Melanie.

Wayne reconnaîtrait forcément Royce. Son neveu était un passionné de course automobile ! Décidément, la soirée allait de mal en pis. En proie à une nervosité grandissante, Melanie s'efforça de maîtriser sa respiration saccadée. Wayne ne tarda pas à réapparaître, visiblement sous le choc.

— Tante Mel ! Sais-tu vraiment qui t'a invitée à dîner ce soir ?

Melanie exhala un soupir.

— Oui, Wayne, je sais. Il s'appelle Royce Grantham.

— Mais c'est... *le* célèbre Royce Grantham... tu es au courant au moins ?

— Oui, Wayne, c'est le célèbre Royce Grantham, ancien pilote de Formule 1.

— Ça alors, murmura le jeune homme. Royce Grantham a invité ma tante à dîner... j'ai hâte de raconter ça à mes copains ! Et à papa et maman... Ils vont tomber des nues !

Sur le point de protester, Melanie se tut, gagnée par un regain de confiance en soi. Royce était le premier homme avec qui elle consentait à sortir depuis quatre ans, mais il ne serait probablement pas le dernier, autant que son frère et sa belle-sœur le sachent. Le vent avait tourné...

Malgré tout, elle répugnait à les bercer d'illusions.

— Ce n'est qu'une invitation à dîner, Wayne, commenta-t-elle d'un ton empreint d'ironie. J'ai fait la connaissance de Royce hier soir, à Belleview. C'est la première fois qu'il vient à Sydney et j'ai accepté de lui faire visiter la ville. Où est-il, au fait ?

— Il n'a pas voulu entrer, il t'attend sous le porche.

— T'es-tu présenté ?

— Bien sûr, quelle question !

— Et quelle impression t'a-t-il faite ? demanda-t-elle en fourrant quelques affaires dans le sac brodé de perles noires qu'elle avait sorti de l'armoire un peu plus tôt.

— Quelle impression il m'a faite ? répéta Wayne d'un air perplexe. Bon sang, tante Mel, c'est Royce Grantham, en chair et en os !

Melanie se remémora soudain les paroles de Kyle, la veille au soir. Malgré les apparences, les gens riches et célèbres avaient également leur lot de soucis quotidiens : comment nouer des relations sincères quand les personnes qu'ils rencontraient se laissaient impressionner autant par leur fortune que par l'aura qu'ils dégageaient ?

— Tu es prête, tante Mel ? Il t'attend, tu sais.

Respirant un grand coup pour se donner du courage, Melanie se dirigea vers la porte. Royce se tenait dans l'embrasure, sexy en diable dans un costume anthracite porté sur un simple T-shirt noir. Elle sentit son cœur chavirer. Son instinct lui commanda aussitôt de prendre ses jambes à son cou tandis que son corps vibrait déjà sous le regard pénétrant de son cavalier.

Talonnée par Wayne, elle lui ordonna à voix basse de la laisser seule.

— Tante Mel, murmura le jeune homme d'un ton plaintif. Ne sois pas rabat-joie.

— Wayne, je ne plaisante pas.

— Bon… d'accord. Amuse-toi bien. Et sois sage, chuchota-t-il en rebroussant chemin en direction de la cuisine.

« Ne t'inquiète pas pour moi, Wayne », songea Melanie amusée, avant de repartir vers l'entrée, consciente du regard de Royce posé sur elle.

— Je croyais vous avoir demandé de m'attendre dans la voiture, lança-t-elle pour se donner une contenance.

Pourquoi fronçait-il ainsi les sourcils ? Il n'aimait pas sa robe ?

— Monsieur Hyde, je présume ? taquina-t-il en la détaillant d'un air admiratif.

— Monsieur Hyde ? répéta-t-elle, perplexe.

— Comme dans *Dr Jekyll et Mr. Hyde*, ça vous dit quelque chose ?

Choquée par la comparaison — bien qu'elle fût consciente de son étonnante métamorphose —, Melanie répliqua d'un ton acerbe :

— Dois-je comprendre que vous n'aimez pas ma tenue ?

— Pas du tout, bien au contraire ! Vous êtes magnifique, Melanie. Allons-y, voulez-vous ?

Il la saisit par le coude et l'entraîna vers une voiture de sport noire garée le long du trottoir.

— Wayne m'a dit qu'il s'agissait d'une Ferrari, fit-elle remarquer tandis qu'il lui ouvrait la portière.

— Si ce n'en est pas une, j'attaque sur-le-champ le loueur de voitures, répliqua Royce, pince-sans-rire.

Dès qu'elle fut installée, il claqua la portière et contourna le bolide pour se glisser au volant.

— Vous êtes mieux placé que quiconque pour reconnaître une Ferrari quand vous en voyez une, reprit-elle dans l'espoir de détendre l'atmosphère.

— Exact. J'ai même conduit pour leur écurie. Une fois m'aura suffi.

— S'ils sont aussi difficiles, pourquoi accepter de courir pour eux ?

— Pour l'argent, quelle question ! Alors, douce Melanie, qu'avez-vous envie de faire, ce soir ? Voulez-vous que nous dînions au restaurant puis que nous allions danser ? Préférez-vous aller au cinéma ? Ou que diriez-vous d'une promenade romantique au clair de lune ? Quand vous m'avez appelé, hier soir, vous avez oublié de me donner la suite de vos consignes après le coup de Klaxon.

Piquée au vif par son ton lourd de sarcasme, Melanie rétorqua :

— Mais vous n'avez pas klaxonné, n'est-ce pas ?

— Non. C'est drôle, j'ai toujours eu du mal à me plier aux consignes.

— Dans ce cas, pourquoi vous donnez-vous la peine de me consulter ? Allez directement à l'hôtel, Royce, je ne suis pas d'humeur à jouer la comédie.

— Ah bon ? D'après ce que je vois, pourtant, susurra-t-il en l'enveloppant d'un regard langoureux, votre vie semble n'être qu'une vaste comédie. Dr Jekyll et Mr. Hyde...

— Démarrez, bon sang ! lança Melanie d'un ton coupant.

Ils s'affrontèrent du regard. Finalement, Royce détourna les yeux et mit le contact.

— Attachez votre ceinture, ordonna-t-il. Vous allez en avoir besoin.

Avant qu'elle ait le temps de réagir, le moteur vrombissait sauvagement et l'engin s'élançait à une vitesse vertigineuse vers Parramatta Road, une artère très fréquentée de Sydney. Dépassements, freinages brutaux, déboîtements intempestifs, accélérations, Royce déploya ses qualités incontestées de pilote automobile tandis que Melanie, paralysée par la peur, s'accrochait de toutes ses forces au siège du passager. Au bout de cinq minutes de ce régime, elle explosa.

— Si vous ne ralentissez pas immédiatement, hurla-t-elle, au bord de l'hystérie, j'attrape le volant, et au diable les conséquences !

Sans mot dire, Royce esquiva de justesse un véhicule et changea de file pour piler dans un crissement de freins le long du trottoir.

— Vous êtes dingue !

Les joues en feu, encore sous l'effet d'une terreur incontrôlable, elle se tourna vers lui, les yeux luisant de colère.

— Comment osez-vous conduire ainsi en pleine ville ? Comment osez-vous risquer ma vie et celles de pauvres innocents au volant de votre bolide ? Vous n'êtes pas sur un circuit, figurez-vous ! Qu'espérez-vous en roulant à cette vitesse ? Me prouver votre virilité, c'est ça ?

Melanie eut à peine le temps de détecter la lueur menaçante qui traversa le regard bleu de Royce. L'instant d'après, il détachait sa ceinture et se penchait vers elle. Dans une bouffée d'eau de toilette musquée, elle vit son visage se rapprocher du sien, puis ses mains puissantes emprisonnèrent ses épaules tandis que sa bouche forçait le barrage de ses lèvres closes.

Melanie gémit sous l'assaut sensuel de sa langue. Une onde de chaleur envahit ses veines, changeant sa colère en désir brûlant. Les baisers de Royce devinrent plus exigeants, et elle sentit ses lèvres gonfler sous ses caresses ardentes. Lorsque Royce les effleura du bout de la langue, elle trembla violemment. Et lorsqu'il les mordilla à tour de rôle, elle émit un soupir de pur plaisir.

— Vous me rendez fou, murmura-t-il d'une voix rauque. Vous le savez, n'est-ce pas ? Caressez-moi, Melanie, je vous en prie… touchez-moi…

Captivée par sa suave litanie, elle écarta les pans de sa veste et promena ses mains sur son torse vigoureux. Elle sentait sa chaleur sous la fine cotonnade du T-shirt. Royce retint son souffle lorsqu'elle traça avec son pouce un cercle autour de ses tétons durcis. Grisée par l'intensité de ses réactions, elle caressa son ventre plat et musclé puis descendit plus bas, plus bas encore. Réprimant un grognement, il la saisit par les poignets.

— Non… pas ici. Pas comme ça.

Elle leva sur lui un regard voilé, incapable de formuler la moindre pensée cohérente. Une seule envie la dévorait : que Royce lui fasse l'amour, qu'il assouvisse au plus vite le feu du désir qui la consumait. Elle lui appartenait, tout son être vibrait dans l'attente de ses caresses. L'espace d'un instant, il la dévisagea, à la fois fasciné et étonné par ce qu'il lisait dans son regard.

— Melanie…

Il se cala dans son siège, secouant la tête d'un air perplexe.

— Qui êtes-vous, Melanie Lloyd ? Que cachez-vous, au juste ? Non… non, ne répondez pas. Je préfère ne pas savoir.

Il remit le contact et, après avoir effectué un demi-tour à une vitesse beaucoup plus raisonnable, reprit la direction du centre-ville. Melanie se renversa dans son siège, paupières closes. Que lui arrivait-il ? Aussi incroyable que cela puisse paraître, Royce avait la capacité d'attiser son désir plus vite, plus violemment que Joel. C'était la première fois qu'elle éprouvait des sensations aussi intenses dans les bras d'un homme.

Et ce n'était pas normal du tout. Elle avait aimé Joel, passionnément. Pour Royce Grantham, elle n'éprouvait qu'une simple attirance physique. Superficielle et dénuée de sens, d'émotion. Sous ses caresses pourtant, elle s'était sentie revivre comme une fleur s'épanouit au soleil. Ce n'était pas normal… pas normal du tout.

Melanie fronça les sourcils, s'efforçant de démêler l'écheveau de ses pensées. Et si l'âge expliquait la violence de ses réactions ? Elle se souvint avoir lu que les femmes atteignaient leur plénitude sexuelle plus tard que les hommes. En outre, cela faisait des années qu'elle n'avait pas fait l'amour. Trop longtemps refoulée, sa libido avait refait surface au contact de Royce. Ainsi, tout s'expliquait logiquement.

Une pensée troublante la traversa soudain. Sous le choc, elle coula une œillade furtive en direction de son compagnon. Son profil volontaire, ses longues mains racées posées sur le volant, son regard perçant braqué sur la route. Il se tourna brièvement vers elle et elle baissa les yeux, de crainte qu'il ne décelât son trouble…

Quels étaient ces sentiments qui naissaient lentement en elle ? « Non, c'est impossible, songea-t-elle, parcourue d'un léger frisson. Je n'arrive pas à y croire. Ce n'est qu'une petite aventure basée sur une simple attirance physique. Rien de plus. Je ne pourrai rien assumer de plus ! »

Elle recouvra un peu de son calme en réalisant qu'elle ne cherchait qu'à justifier l'audace de son initiative. Quoi de plus naturel, au fond ? C'était la première fois qu'elle se lançait dans ce genre d'aventure. La prochaine fois, pensa-t-elle en feignant d'ignorer les doutes qui l'assaillaient, tout lui paraîtrait plus facile.

8.

Niché dans une des petites rues qui descendaient vers le quartier du Quay, le Regency était un des hôtels les plus récents de Sydney. Chacune de ses chambres offrait une vue imprenable sur le port. Le décor et l'ambiance y étaient intimes et chaleureux, tout en lambris vernissés, tentures de velours et dorures baroques, réminiscences évidentes des luxueux hôtels londoniens.

La suite de Royce se trouvait au dixième étage. Elle se composait d'une vaste pièce à vivre décorée dans des tons pêche et vert d'eau, d'une chambre à coucher revêtue des mêmes coloris et d'une somptueuse salle de bains entièrement habillée de marbre blanc. La robinetterie dorée étincelait de mille feux ; de superbes bouquets ornaient le plan de toilette creusé de deux grandes vasques. Melanie n'avait encore jamais vu de cabine de douche aussi spacieuse.

Savourant un bref moment de répit, elle resta quelques minutes dans cette pièce étonnante. Après avoir retouché son maquillage et rectifié sa coiffure, elle s'efforça de retrouver la confiance teintée de provocation qui l'avait animée la veille, quand elle avait appelé Royce au téléphone. En vain. Inspirant profondément, elle se décida à quitter son refuge.

— Vous aimez le luxe, n'est-ce pas, Royce ?

Il se tenait dans l'embrasure de la chambre à coucher. Une expression rêveuse voilait son visage.

— Je l'ai bien mérité, il me semble.

— Vous avez surtout beaucoup de chance d'être en vie pour pouvoir l'apprécier, répliqua-t-elle, acerbe. Vu la façon dont vous conduisez...

Sur un rire amusé, il tourna les talons et disparut dans le salon.

— Venez prendre un verre avec moi. Je crois que nous en avons besoin, tous les deux.

— Je ne bois pas d'alcool, d'habitude, déclara-t-elle en le rejoignant dans le salon.

Elle prit place sur un des canapés et posa son sac sur la table basse.

— Mais vous avez raison, un petit remontant ne me fera pas de mal.

Il lui jeta un regard perplexe puis, haussant les épaules, se tourna vers le mini-bar et le réfrigérateur, tous deux dissimulés dans une armoire.

— Que désirez-vous ? Un whisky ?

— Comme vous voudrez.

Pendant qu'il préparait les verres, elle feignit de se perdre dans la contemplation du paysage que dévoilait l'immense baie vitrée. Elle n'avait encore jamais admiré l'Opéra sous cet angle. En cet instant où l'obscurité baignait le port et où les flots sombres reflétaient les lumières de la ville, c'était un spectacle de toute beauté. Hélas, la splendeur de la baie ne parvint pas à dissiper son agitation croissante.

Royce lui tendit son verre. A son grand soulagement, il prit place sur le canapé d'en face, de l'autre côté de la table basse. Pourquoi redoutait-elle tant son contact, tout à coup ? N'était-ce pas justement ce qu'elle était venue chercher en l'appelant en pleine nuit ? Nul doute qu'elle oublierait tous ses scrupules dès l'instant où il la prendrait dans ses bras.

A ce propos, elle devait absolument régler certains détails importants avec lui. Cherchant les mots justes, elle s'agita nerveusement sur le canapé, croisa les jambes et dirigea de nouveau son regard vers la baie vitrée.

— C'est la première fois que vous faites ça, n'est-ce pas ? s'enquit Royce d'un ton abrupt.

Décontenancée, Melanie plongea son regard dans le sien.

— Je ne comprends pas le sens de votre question, murmura-t-elle en fronçant les sourcils. Vous… vous vous imaginiez le contraire ?

Royce laissa échapper un rire sarcastique.

— Cela vous étonne, après votre coup de téléphone nocturne ?

— Oh…

Melanie sentit le sang lui monter aux joues. Portant son verre à ses lèvres, elle avala une grande gorgée du liquide ambré.

— Voulez-vous que j'ajoute un peu d'eau gazeuse ? demanda Royce en la voyant grimacer.

— Non, murmura-t-elle en secouant la tête. Non, merci, c'est parfait ainsi.

— Avez-vous faim ? Je peux commander quelque chose, si vous voulez.

Elle le fixa d'un air incrédule.

— Pourquoi êtes-vous si gentil avec moi ?

Royce parut surpris par sa question.

— Qu'imaginiez-vous ? Que j'allais me jeter sur vous, vous arracher vos vêtements et vous faire l'amour là, par terre, à peine la porte refermée ?

Elle baissa les yeux.

— Je... je ne sais pas. Ç'aurait peut-être été préférable. Après tout, n'est-ce pas le but de notre rendez-vous ?

Elle but une autre gorgée de whisky puis reposa son verre sur la table d'une main tremblante.

— Non, Melanie, objecta Royce d'une voix basse. C'est peut-être la raison de *votre* venue, mais ce n'est pas ainsi que je traite les femmes que j'apprécie. Bon, maintenant que j'ai éclairci les choses, je vais commander le dîner. Aimez-vous les fruits de mer ?

Il se leva et elle dut pencher la tête en arrière pour le regarder.

— Je... oui, j'adore ça.

— Bien.

Troublée par son sourire charmeur, elle baissa précipitamment les yeux et vida son verre d'un trait. Sans vraiment y prêter attention, elle l'entendit commander un plateau de fruits de mer, du pain frais, une bouteille de champagne et une coupe de fraises.

Royce Grantham lui plaisait beaucoup. Beaucoup trop. Et elle détestait le sentiment de vulnérabilité qui l'habitait. Elle ne voulait pas d'un tête-à-tête romantique, elle désirait seulement un corps à corps fougueux et sensuel, une nuit de passion sans lendemain.

— Désirez-vous un autre whisky ou préférez-vous attendre le champagne ?

— Je préfère attendre.

— Moi aussi.

Dès qu'il se fut rassis, elle lança d'un ton abrupt :

— Je tiens à ce que nous nous protégions. Ne vous inquiétez pas, j'ai tout prévu.

L'expression interdite de Royce lui fit perdre contenance.

— Je… je prends les mesures nécessaires pour ne pas tomber enceinte, vous comprenez, reprit-elle d'un ton fébrile, mais il y a tant d'autres risques, de nos jours… Des risques que je n'ai aucune envie de… de courir…

— Si cela peut vous rassurer, Melanie, je mettrai un préservatif, bien que je sois en parfaite santé.

— Je n'ai que votre parole, n'est-ce pas ?

— En effet, répondit Royce d'un ton glacial. Et bien entendu, ma parole n'a aucune valeur pour vous, je me trompe ?

— L'expérience m'a appris à me méfier des hommes de votre genre, répliqua-t-elle aussi froidement.

— C'est la deuxième fois que vous utilisez cette expression à mon égard, Melanie. A quel genre d'homme m'assimilez-vous ? A un riche célibataire en goguette, quelque chose dans ce goût-là ?

— Disons simplement que j'ai quelques doutes concernant votre honnêteté envers les femmes. N'avez-vous pas essayé de m'entraîner dans votre lit dès l'instant où vous avez posé les yeux sur moi, sans même savoir qui j'étais ?

Un voile de culpabilité assombrit le visage de son interlocuteur.

— Sans doute, oui. Pourtant ce n'est pas dans mes habitudes. Votre cas est tout à fait exceptionnel, Melanie Lloyd.

— Je ne vois pas ce qui vous fait dire ça, riposta-t-elle d'une voix teintée de mépris.

— La raison m'en échappe aussi, figurez-vous, et pourtant c'est la stricte vérité. Mais apparemment, j'ai peu de chance de vous convaincre que je n'ai jamais éprouvé d'émotion aussi violente que lorsque je vous ai aperçue dans la bijouterie.

— Cela s'appelle du désir, Royce, rien de plus. Du dé-sir. Tout à fait franchement, je me demande bien ce qui a pu vous attirer… je ressemblais à un épouvantail, hier.

108

Le rire de Royce brisa la tension qui s'était installée entre eux.

— Même si vous faisiez des efforts, vous ne pourriez jamais ressembler à un épouvantail, Melanie ! Aucun haillon ne pourrait abîmer votre corps de rêve ; quant à votre visage, il aurait inspiré les plus grands maîtres.

Malgré ses efforts pour ne rien trahir de son trouble, Melanie sentit ses joues s'empourprer et elle baissa vivement les yeux.

— Venez vous asseoir près de moi, Melanie, murmura Royce. Vous êtes trop loin.

— C'est vous qui avez choisi de vous asseoir en face de moi, répliqua-t-elle, furieuse contre sa propre faiblesse. Vous n'avez qu'à vous approcher, vous !

Un sourire triomphant étira les lèvres de son compagnon.

— A la bonne heure ! J'ai bien cru que vous ne me le demanderiez jamais.

En un éclair, il fut près d'elle et, avec la même vivacité, il l'attira dans ses bras.

— Non, je…, balbutia-t-elle avant que les lèvres de Royce ne capturent les siennes.

La pièce chavira et elle ferma les yeux. Comme guidées par une force irrésistible, ses mains glissèrent sous la veste de Royce et elle se plaqua contre lui, savourant le contact de son corps vigoureux tandis que leurs langues se mêlaient dans un baiser fougueux.

Un coup à la porte les sépara brusquement. Les pupilles dilatées, Melanie chercha le regard de Royce, voilé par le désir. Il passa les mains dans ses cheveux tandis qu'un sourire amusé éclairait son visage.

— J'ai du rouge à lèvres partout ?

— Oui…

Il hocha la tête.

— Je vous laisse répondre pendant que je fais un petit crochet par la salle de bains, d'accord ?

Il l'embrassa sur la joue et disparut. Reprenant ses esprits, Melanie alla ouvrir la porte.

— Bonsoir madame, lança le serveur en poussant une table roulante dans la chambre.

Lorsqu'il voulut découvrir les plats, Melanie le pria de tout laisser ainsi. Et lorsqu'il entreprit de dresser la table, elle l'en dissuada. Il fronça les sourcils puis, avec un haussement d'épaules résigné, il lui souhaita de passer une agréable soirée, s'inclina courtoisement et s'en fut.

Royce la rejoignit quelques instants plus tard. Débarrassé de sa veste, il lui parut dangereusement sexy dans son T-shirt noir. Comme hypnotisée, elle admira ses larges épaules et son torse puissant tandis qu'il approchait.

— Mmm, soupira-t-il en l'enlaçant par la taille pour l'attirer contre lui. J'aime quand vous me dévorez des yeux. Embrassez-moi, Melanie, embrassez-moi avec toute la passion qui vous consume… j'ai déjà presque oublié la saveur de vos lèvres.

Tremblant de désir, elle obéit. Leurs bouches se soudèrent dans un baiser passionné. Emportés par le même tourbillon sensuel, ils oublièrent le dîner qui les attendait. Avec des gestes rapides et précis, Royce la débarrassa de sa robe puis ses doigts dégrafèrent plus fébrilement l'attache de son soutien-gorge. Lorsque ses mains effleurèrent ses seins, Melanie laissa échapper un long gémissement.

— Royce…

— Taisez-vous, Melanie, c'est tellement bon…

Elle gémit encore lorsque, emprisonnés entre son pouce et son index, ses tétons se figèrent, durcis par le plaisir. Gagnée par un délicieux vertige, elle s'arqua contre lui tandis qu'il

110

la soulevait dans ses bras pour la déposer sur le canapé le plus proche. Penché sur elle, il explora sa voluptueuse poitrine du bout de la langue, suçant, mordillant, titillante jusqu'à ce qu'elle perdît tout contact avec le monde réel. A la fois douces et exigeantes, les mains viriles firent glisser son slip et ses bas le long de ses jambes. Royce étouffa un juron lorsque son geste fut entravé par les escarpins qu'elle n'avait pas encore retirés. Melanie gloussa, amusée par son langage fleuri.

— Profitez-en… bientôt, vous ne rirez plus.

Elle comprit ce qu'il voulait dire lorsque, après l'avoir entièrement dénudée, il colla sa bouche sur sa cheville droite et, passant d'une jambe à l'autre, fit glisser ses lèvres le long de ses mollets, à l'intérieur de ses genoux puis à fleur de cuisses. Avec une lenteur à la fois exquise et cruelle, sa bouche et ses doigts se frayèrent un chemin jusqu'au cœur de son intimité.

Paupières closes, Melanie porta une main à son front tandis que, le cœur battant à se rompre, elle sombrait lentement dans un océan de volupté. Secouée de spasmes violents, elle se cambra sous l'effet du plaisir indicible qui déferlait en elle. Jamais encore elle n'avait éprouvé de sensations aussi intenses.

Elle ouvrit les yeux. A genoux devant elle, Royce avait entrepris de se déshabiller. Son T-shirt tomba par terre, dévoilant un torse puissamment musclé, voilé d'une fine toison brune. Un sourire mutin naquit sur les lèvres de Melanie lorsqu'il se contorsionna pour ôter pantalon et caleçon. Sans hésiter, elle tendit la main vers son sexe.

— Arrêtez, Melanie, protesta-t-il au bout de quelques instants. Je vous en prie, arrêtez. Je ne suis qu'un homme, vous savez… et puis, je dois encore aller chercher quelque chose.

— Vous n'avez qu'à ouvrir mon sac, ordonna-t-elle d'une voix suave. Derrière vous, sur la table.

Il s'exécuta. Ses yeux s'arrondirent de surprise en découvrant le paquet.

— Eh bien, dites-moi, combien en avez-vous acheté ?

Elle rougit timidement.

— C'était un lot de douze.

— Oh, vous m'avez fait peur... l'espace d'un instant, j'ai cru que vous alliez me demander d'utiliser tout le paquet ! Cela dit, je suis prêt à relever le défi...

Quelques secondes plus tard, il se tournait de nouveau vers elle et, capturant sa main dans la sienne, la guida vers sa puissante virilité. Elle le caressa longuement et obéit volontiers lorsqu'il l'obligea à se pencher vers lui. A sa grande surprise, Melanie prit un plaisir réel à cette caresse particulièrement intime — un plaisir qu'elle n'avait jamais connu avec Joel.

Etait-ce parce que Royce la caressait tendrement, effleurait ses cheveux, sa nuque et sa gorge, la berçait de petits mots doux et flatteurs ?

— Il ne faut pas aller plus loin... ou je ne réponds plus de moi, murmura-t-il finalement en la faisant asseoir en face de lui.

Ses mains viriles écartèrent doucement ses cuisses tandis qu'il se penchait vers elle pour capturer sa bouche. Melanie avait l'impression de se liquéfier au contact de ses doigts experts ; déjà, elle ne s'appartenait plus, ses sens avaient pris le contrôle de tout son être. La voyant éperdue, Royce vint se placer entre ses jambes et la fit légèrement basculer. Melanie ferma alors les yeux et ne les rouvrit que lorsqu'elle le sentit en elle.

— Royce...

— Chut… ne dites rien. Nouez vos mains autour de mon cou.

Elle obéit et suffoqua lorsque, l'agrippant fermement, il s'enfonça de nouveau en elle.

— Maintenant, embrassez-moi, ordonna-t-il d'une voix sourde.

Melanie ne se fit pas prier. Lorsque leurs langues se mêlèrent dans une caresse langoureuse, Royce commença à se mouvoir en elle en un lent va-et-vient ; bientôt, plus rien ne compta que leurs deux corps en fusion, ondulant au même rythme, de plus en plus vite. S'arrachant à ses lèvres, Melanie osa exprimer ses envies avec des mots crus, infiniment érotiques. Plantant ses ongles dans la nuque de son compagnon, elle atteignit une fois encore le sommet de l'extase.

Le plaisir coula en elle comme la lave brûlante d'un volcan, explosant comme un feu d'artifice. Au bord du vertige, elle s'entendit crier sans retenue. C'était une expérience à la fois inédite et complète, charnelle et émotionnelle, une sensation grisante qui se renforça lorsque Royce mêla son cri au sien. Ce fut un moment unique. Leurs deux corps vibrèrent à l'unisson, unis par le même plaisir, les mêmes désirs.

Elle s'accrocha à lui, couvrant ses épaules d'une pluie de baisers, lui confiant dans un murmure qu'il était le meilleur amant du monde. Royce l'étreignit avec ferveur puis la berça doucement jusqu'à ce que la tempête s'apaise. Ensemble, ils savourèrent un merveilleux sentiment de plénitude. Melanie émit un gémissement de protestation lorsque Royce l'abandonna un moment plus tard. Alanguie, repue de plaisir, elle se laissa envahir par une douce torpeur. Soudain, Royce se pencha au-dessus d'elle. Un sourire moqueur jouait sur ses lèvres.

— Oh non, vous ne vous en sortirez pas comme ça, susurra-t-il d'un ton faussement réprobateur.

Vif comme l'éclair, il la souleva dans ses bras et l'emmena dans la salle de bains. Melanie se débattit en criant lorsqu'il la plaça sous le jet froid de la douche.

— Réveillez-vous, jolie sorcière… je n'en ai pas encore fini avec vous !

L'eau chaude arriva enfin et il consentit à relâcher son étreinte, emprisonnant ses lèvres pour faire taire ses protestations.

— Vous avez faim, maintenant ? demanda-t-il au bout de quelques minutes.

— Faim de nourritures terrestres ? Ou charnelles ? plaisanta Melanie.

— Les deux.

— Ma parole, vous êtes insatiable ! s'écria-t-elle tandis qu'il effleurait sa poitrine d'une caresse experte.

— Et vous êtes magnifique…

Dans un gémissement, il l'attira contre lui et reprit ses lèvres tandis que l'eau continuait à ruisseler sur leurs corps enlacés.

— Je crois qu'on devrait retourner dans le salon, murmura-t-il enfin.

— L'appel du ventre, c'est ça ?

— Non, l'appel du sac à main, corrigea-t-il dans un sourire insolent.

Ce fut une merveilleuse soirée ; une parenthèse follement sensuelle, ponctuée de rires, de toasts au champagne et de jeux érotiques. Un peu comme la lune de miel d'un jeune couple. Ils firent l'amour à plusieurs reprises. Contaminée par l'ardeur et la décontraction de son compagnon, Melanie profita de chaque instant sans jamais songer au lendemain. Elle se sentait belle, infiniment sensuelle avec Royce ; elle se sentait revivre au contact de ses lèvres et de ses mains, de son regard admiratif. Pleinement épanouie chaque fois qu'il la faisait sienne.

Au cœur de la nuit, ils commirent l'erreur de faire l'amour au lit. Repus de caresses, gagnés par une fatigue bienfaisante, ils s'endormirent ensemble. « Il est tard, Royce, je vais partir », murmura Melanie juste avant de fermer les paupières.

Emergeant vaguement de son sommeil au petit matin, elle enroula un bras autour de la taille de son compagnon et se colla à lui, savourant le contact de son corps chaud et viril. Elle promena ses lèvres sur son dos, ses épaules, son bras. « J'aimerais l'embrasser toutes les nuits, songea-t-elle, à demi consciente. J'aimerais… »

Elle ouvrit alors les yeux, frappée de stupeur. Bon sang, que lui arrivait-il ? Elle était censée ne s'autoriser aucune émotion, aucun sentiment, aucune illusion. Elle avait vu en Royce un moyen d'assouvir son désir trop longtemps refoulé… rien d'autre !

Oh, mon Dieu, quelle idiote elle faisait ! Elle avait pourtant perçu les signes avant-coureurs de l'amour, mais aveuglée par le désir, elle les avait tout bonnement ignorés. Elle aurait dû savoir qu'elle ne pouvait pas s'abandonner aussi pleinement sans éprouver de sentiment pour son amant.

L'homme qui reposait à côté d'elle, pourtant, n'avait que faire des sentiments. Il aimait les femmes, leur corps, leur sensualité, mais ne recherchait rien d'autre que la satisfaction de ses désirs. Elle aurait dû suivre son exemple.

Une seule solution s'offrait à elle. Elle devait partir, maintenant. Partir pour ne plus jamais croiser son chemin. Jamais ! Il lui faudrait se montrer forte, résister à la tentation, refuser fermement de lui céder s'il tentait de la joindre.

Mais il n'en ferait rien, songea-t-elle en feignant d'ignorer le goût amer qui emplissait sa bouche. En quelques heures d'étreintes enflammées, il avait tout obtenu d'elle. Royce Grantham collectionnait les aventures sans lendemain. Il n'y aurait donc pas de suite à leur nuit de passion.

En proie à un profond accablement, elle se leva sans bruit, ramassa ses vêtements et alla s'habiller dans la salle de bains. La vue des serviettes de bain étalées sur le carrelage, souvenir d'un de leurs fougueux corps à corps, la désarçonna un instant. Cependant, elle refusa de céder à la honte ou la culpabilité. Elle assumait son envie de faire l'amour, son envie de Royce en tant qu'amant. En revanche, elle ne voulait ni s'attendrir, ni se laisser emporter par des sentiments qu'elle ne contrôlerait plus.

Il était presque 6 heures du matin lorsqu'elle referma derrière elle la porte de la suite. Une demi-heure plus tard, un taxi la déposa devant la maison de Ron et Frieda. Elle gagna sa chambre sur la pointe des pieds et se coucha aussitôt, terrassée par la fatigue et les émotions.

9.

— Il était temps ! lança Frieda d'un ton réprobateur lorsque Melanie entra dans la cuisine en bâillant, peu avant midi, le dimanche matin. Royce n'a pas voulu que je te réveille ; il paraît que tu es rentrée tard, mais tu admettras tout de même que c'est très impoli d'inviter un homme à passer la journée avec toi et de ne pas être debout pour l'accueillir ! En plus, tu aurais quand même pu nous dire que tu fréquentais quelqu'un. Tu sais bien que ça nous fait plaisir. Franchement, je ne comprends pas tes cachotteries.

Melanie porta une main tremblante à sa gorge.

— Royce est ici ?

— Bien sûr ! Pourquoi fais-tu cette tête ?

Menue et sèche, Frieda parlait vite, ponctuant ses paroles de gestes nerveux. Ses yeux bleus trahissaient son impatience.

— Tu lui as dit de venir à 11 heures, n'est-ce pas ? Il est presque midi, figure-toi ! Tu aurais pu me laisser un petit mot pour me prévenir que tu l'avais invité à déjeuner. A cause de toi, j'ai été obligée de changer mon menu et nous ne mangerons qu'à 1 h 30. J'espère qu'il aime l'agneau, conclut-elle en écossant des petits pois au-dessus de l'évier.

— Où… où est-il ? demanda Melanie en se laissant tomber sur une chaise, les jambes coupées.

117

— Il est en train d'aider Wayne à réparer sa moto, dans le jardin. Il semble s'y connaître, en mécanique.

Frieda lui jeta un coup d'œil ironique.

— Ce qui n'a rien d'étonnant, n'est-ce pas, pour un champion de course automobile ?

— Tu es au courant ? dit Melanie d'une petite voix.

— Difficile de ne pas l'être. Wayne n'a pas cessé de nous chanter ses louanges pendant le petit déjeuner. Il nous a également dit que tu ressemblais à une vraie princesse, hier soir.

Frieda soupira.

— Dis-moi, Melanie, qu'y a-t-il au juste entre cet homme et toi ? C'est du sérieux ? Je n'arrive toujours pas à comprendre pourquoi tu ne nous as rien dit à nous, ta propre famille !

— Pour l'amour du ciel, Frieda, calme-toi un peu, veux-tu ? Wayne ne vous a donc pas expliqué que je rendais service à mon patron en acceptant de servir de guide à Royce Grantham pendant son séjour à Sydney ? Il est de passage, ne l'oublie pas. En outre, je ne l'ai pas invité à passer la journée ici. Nous étions censés visiter la ville.

Tout en cherchant désespérément des explications plausibles, Melanie ne décolérait pas contre Royce.

— Ce n'est pas l'impression qu'il m'a donnée, insista Frieda. Il m'a dit qu'il en avait assez de faire du tourisme et qu'il n'aspirait qu'à une chose : passer une journée tranquille au sein d'une vraie famille australienne. Il paraît aussi que tu lui as vanté mes mérites de cordon-bleu et il est impatient de goûter à la bonne cuisine traditionnelle. Apparemment, il en a plus qu'assez de manger au restaurant, conclut-elle en poursuivant ses préparatifs.

— Ah oui ? dit Melanie en se remémorant le délicieux repas de fruits de mer qu'ils avaient partagé la veille.

Décidément, Royce Grantham savait s'y prendre avec les femmes… toutes les femmes ! Quelques paroles flatteuses, un sourire charmeur, une œillade enjôleuse et le tour était joué ! Assise à la table de la cuisine, Melanie fulminait en silence. Jamais elle n'aurait dû lui donner l'adresse de Ron et Frieda… c'était de l'inconscience pure ! Royce Grantham s'avérait plus tenace que ce qu'elle avait cru mais elle était bien décidée à ne pas le laisser faire…

— Je t'en prie, Melanie, va t'habiller ! lança sa belle-sœur d'un ton exaspéré. Que pensera Royce s'il te surprend en robe de chambre ? File te préparer, vite !

Melanie resta assise, se contentant de lisser ses cheveux en arrière.

— Tu ne m'as pas bien écoutée, Frieda. Il n'y a rien de sérieux entre M. Grantham et moi. J'ai simplement décidé de recommencer à sortir un peu et quand il m'a priée de lui servir de guide, j'ai accepté, c'est tout. Je trouvais l'idée amusante et je…

Frieda l'interrompit d'un rire moqueur.

— Tu ne vas tout de même pas me faire croire que tu n'es pas sensible au charme de Royce Grantham ! C'est tout à fait ton type d'homme, Melanie. Viril, intelligent. Oh, ne prends pas cet air étonné ! Je te connais bien, tu sais. Il ressemble à Joel, n'essaie pas de nier. J'ai tout de suite fait le rapprochement. Mais tandis que Joel avait ce côté dur, presque impitoyable, Royce a plutôt l'air d'un adolescent insolent, gentiment provocateur.

Melanie n'en revenait pas. Frieda était d'une perspicacité étonnante ! Son analyse de la personnalité de Royce semblait assez juste. Moins inflexible que Joel, il était capable d'amadouer les personnalités les plus retorses en usant de son charme. Ce qui ne l'empêchait pas d'être terriblement égoïste, comme en témoignait sa visite surprise chez Ron et Frieda. Son plaisir personnel passait avant tout. A moins qu'il ait cru sincèrement qu'elle bondirait de joie en le voyant aujourd'hui ? Qu'elle apprécierait cette intrusion dans sa vie privée ? Avec un individu aussi suffisant, il fallait s'attendre à tout !

— Ron est avec eux dans le jardin ? demanda-t-elle, sourcils froncés.

— Melanie, tu es décidément dans les nuages, aujourd'hui ! Tu sais bien que Ron entraîne les juniors au foot et qu'ils disputent un match tous les dimanches, en hiver ! Il ne sera pas de retour avant 16 heures. Bon, si tu n'as pas envie d'aller t'habiller, prépare-toi au moins une bonne tasse de café. Ça t'aidera à y voir plus clair. J'espère au moins que tu as passé une bonne soirée, hier… ?

— Comment ? Oh, oui… oui, c'était très sympa.

— Royce est sympa, lui aussi. J'avoue que j'ai été surprise par sa gentillesse et sa simplicité. Quel dommage qu'il reparte bientôt en Angleterre ! A la fin du mois de juillet, d'après ce qu'il m'a dit.

— Personnellement, ça ne me dérange pas. Ne te berce pas d'illusions, je n'ai aucune intention de me remarier, Frieda. Et s'il te plaît, ne raconte pas à Royce ce qui est arrivé à Joel et à David. Il sait déjà que je suis veuve, ça suffit. Je ne veux pas de sa pitié.

Frieda suspendit son geste, le visage soudain radouci.

— Tu ne peux pas porter le deuil toute ta vie, chérie. J'aurais cru que… après votre rendez-vous d'hier… enfin, j'espérais que…

— Eh bien, tu as fait fausse route, coupa Melanie en glissant une mèche rebelle derrière son oreille.

Plongée dans ses pensées, elle se mordilla nerveusement la lèvre. La porte de la cuisine s'ouvrit à cet instant précis et Royce fit son apparition, vêtu d'un bas de survêtement et d'un T-shirt gris chiné, chaussé de tennis noires. Malgré les cernes qui soulignaient son regard, et sa barbe naissante, il était infiniment séduisant. Beaucoup trop, aux yeux de Melanie. Prenant soudain conscience de la légèreté de sa tenue, elle resserra nerveusement les pans de sa robe de chambre. C'était absurde, étant donné les circonstances. Royce avait vu, touché et caressé chaque centimètre carré de son corps !

Wayne le suivait de près. Il paraissait de meilleure humeur que la veille.

— Salut, tante Mel ! Royce a réussi à réparer ma moto. Ça vaut bien une bonne bière fraîche, non ?

— Absolument, répondit Melanie en dardant sur Royce un regard exaspéré.

Avec une désinvolture irritante, ce dernier tira la chaise voisine de la sienne et s'installa en soutenant son regard.

— Bonjour, Mel, lança-t-il en reprenant le diminutif qu'utilisait Wayne. Comment ça va, ce matin ? Pas trop de courbatures ?

Melanie écarquilla les yeux, abasourdie.

— Nous avons dansé une bonne partie de la nuit, ajouta-t-il tandis qu'une lueur espiègle traversait son regard.

— J'adorais danser, confia Frieda dans un soupir. Mais ça fait belle lurette que Ron ne m'a pas emmenée au bal. J'ai déjà du mal à le traîner une fois par semaine à l'Amicale du quartier... Il prétend que, avec l'âge, l'envie de danser disparaît.

— Sa sœur ne partage pas son avis, en tout cas, commenta Royce. C'est une danseuse hors pair, vraiment.

Il répondit à l'œillade assassine de Melanie par un clin d'œil malicieux.

— Tenez, Royce, voici de quoi vous rafraîchir, déclara Wayne en posant devant lui une canette de bière.

Royce l'ouvrit et avala plusieurs gorgées.

— Après l'effort, le réconfort, déclara-t-il avec entrain en reposant sa bière.

— Papa sera content de trouver la moto réparée. Depuis le temps que je devais m'y mettre, hein, maman ?

— C'est sûr, Wayne. Quels sont vos projets quand vous serez rentré en Angleterre, Royce ? Wayne nous a dit que vous vous étiez retiré de la compétition automobile.

— C'est exact. Je n'ai aucun projet bien défini, si l'on excepte la restauration d'une vieille demeure que j'ai achetée récemment. Je vais peut-être me mettre au polo, qui sait ? J'ai toujours eu envie de pratiquer ce sport.

— Et votre famille ? insista Frieda, au grand désarroi de Melanie. Vous avez des frères et des sœurs ?

— Non. Je suis fils unique. Ma mère a vite compris qu'elle n'était pas faite pour élever des enfants... ni pour être pauvre, d'ailleurs. J'avais à peine un an quand elle est partie. Je ne l'ai jamais revue depuis, mais j'ai appris qu'elle s'était remariée avec un riche aristocrate londonien. Pour être franc, je n'ai pas souffert de son absence. Mon père, le pauvre, ne s'est jamais remis de son départ. Il est mort il y a quelques années.

Derrière son ton détaché, Melanie perçut l'amertume qui sourdait en lui. Etait-ce pour cette raison qu'il était toujours célibataire ? Comme si elle avait lu dans ses pensées, Frieda formula sa question à voix haute :

— Vous n'avez jamais été marié, Royce ? Melanie n'a pas su me répondre.

— Ah bon ? dit-il en lui coulant un regard ironique. Vous ne saviez pas que j'étais un célibataire endurci ?

Elle haussa les épaules.

— Je vous l'ai dit, je ne lis pas les journaux.

Un silence chargé d'électricité s'abattit dans la pièce.

— Zut alors ! s'exclama soudain Frieda. Je viens de m'apercevoir que nous n'avons plus de lait. Wayne, peux-tu me conduire au supermarché, s'il te plaît ? Melanie, tu veux bien nous prêter ta voiture ?

— Je vous accompagne, si vous voulez, proposa Royce.

— Oh non, vous êtes notre invité. Restez ici avec Melanie, je vous en prie.

Avec une réticence mal dissimulée, cette dernière tendit ses clés de voiture à Frieda. La perspective de se retrouver seule avec Royce l'emplissait d'angoisse. A peine la porte d'entrée refermée, elle se leva et resserra fébrilement le nœud de sa ceinture.

— J'aimerais beaucoup vous tenir compagnie, commença-t-elle, mais je dois aller m'habiller.

— Ne vous donnez pas cette peine, susurra Royce en l'enveloppant d'un regard lourd de sous-entendus. Personnellement, je vous préfère nue… ou du moins, très légèrement vêtue.

Melanie se força à compter jusqu'à dix avant de prendre la parole.

— Je vous demanderais bien ce que vous faites ici, si je n'avais pas déjà mon idée sur la question.

Le regard bleu de Royce glissa le long de son corps puis remonta vers son visage empourpré.

— Alors, pourquoi suis-je ici ? Je suis curieux de connaître votre avis. Ça m'éclairera peut-être sur ce qui se passe dans votre jolie tête, Melanie Lloyd.

Elle eut un rire nerveux.

— Ne comptez pas sur moi pour vous éclairer, ni pour satisfaire vos désirs ! Je pensais que vous auriez compris le message en vous réveillant seul, ce matin. Pour votre information, les aventures d'une nuit ne se poursuivent jamais au-delà. Je vous serais reconnaissante de retourner

123

d'où vous venez, Royce. Je trouverai une excuse pour votre départ précipité, ne vous inquiétez pas.

— Il n'y aura aucun départ précipité, annonça-t-il simplement.

Sous le regard métallique, incroyablement pénétrant de son compagnon, Melanie sentit son assurance fondre comme neige au soleil.

— Je… je veux que vous partiez, Royce. Je ne vous ai pas invité. Partez, je vous en prie. Je… je ne veux plus jamais vous revoir. Plus jamais, vous m'entendez ?

— Vous n'êtes qu'une incorrigible menteuse, Melanie. *Primo*, vous ne connaissez rien des aventures sans lendemain. *Secundo*, vous ne voulez pas que je m'en aille et vous brûlez d'envie de me revoir.

Il se leva et marcha lentement dans sa direction. De l'autre côté de la table, Melanie le regarda approcher, submergée par un troublant mélange de peur et d'excitation. Lorsqu'il la plaqua contre lui sans ménagement, une vague de panique l'assaillit.

— Non ! s'écria-t-elle en tentant d'échapper à sa bouche avide. Lâchez-moi !

Elle le frappa à l'aveuglette, se débattit farouchement jusqu'à ce qu'elle se sente coincée contre la table. D'un geste ferme, Royce plaqua ses mains de chaque côté de son visage et se pencha lentement, inexorablement.

Elle aurait pu le mordre, lui assener un coup de pied, se défendre de mille et une manières… si elle l'avait réellement souhaité. Mais une fois encore, Royce avait raison. Elle n'avait aucune envie qu'il s'en aille.

Elle entrouvrit les lèvres dans un gémissement tandis que son corps ployait déjà sous la force du désir qu'il lui inspirait. Comme s'il n'attendait que ce signal, Royce l'allongea sur la table et, sans déserter ses lèvres, écarta doucement les pans de son peignoir. Melanie perçut vaguement le côté choquant de leur étreinte, mais comment lutter contre la caresse langoureuse de la bouche virile qui explorait maintenant son corps ?

Dans un semi-brouillard, elle songea qu'elle n'avait pris aucun contraceptif...

— Non, arrêtez, murmura-t-elle en se redressant légèrement.

Au même instant, elle sentit la bouche de Royce atteindre le cœur de sa féminité ; ses protestations moururent aussitôt. Alors, elle rejeta la tête en arrière, électrisée par une onde de plaisir. Une onde qui enflait au fur et à mesure des caresses de Royce... Bientôt, elle s'abandonna complètement et un spasme de volupté la secoua, irrépressible. Quelques instants plus tard, alors qu'elle baignait encore dans un océan de bien-être, Royce changea de position. Avant qu'elle ait pu comprendre ce qui se passait, Royce la fit sienne et, en proie à une excitation irrésistible, laissa exploser son plaisir dans une longue plainte rauque.

— Oh, non..., sanglota Melanie en se redressant avec peine. Non...

Des larmes de stupeur et de désespoir roulèrent le long de ses joues. Elle se redressa d'un bond.

— Allez-vous-en ! lança-t-elle. Partez. Partez !

Déconcerté, il la dévisagea.

— Pour l'amour du ciel, Melanie, calmez-vous ! Que se passe-t-il ? Pourquoi réagissez-vous ainsi ? Vous en aviez envie, non ?

Il était en train de se rhabiller lorsqu'un moteur retentit dans l'allée. Une portière claqua, puis une autre. Affolée, Melanie se tourna vers la porte de la cuisine.

Sans lui laisser le temps de réagir, Royce la souleva dans ses bras et remonta le couloir à grandes enjambées, à la recherche de la salle de bains. Lorsqu'il l'eut trouvée, il relâcha son étreinte et drapa le peignoir sur ses épaules.

— Je leur dirai que vous êtes sous la douche, prévint-il avant de tourner les talons.

Comme pris de remords, il fit volte-face et l'enlaça avec ferveur.

— Ne pleurez pas, commanda-t-il d'une voix rauque. Vous n'avez aucune raison de pleurer, bon sang ! Quel est le problème ? Est-ce parce que nous n'avons pas utilisé de préservatif ? Je vous ai dit hier que vous n'aviez rien à craindre de ce côté-là et comme vous prenez la pilule, la question est réglée !

Mon Dieu, oui, c'était donc ça... il croyait qu'elle prenait la pilule ! Alors que, la veille au soir, elle avait utilisé un diaphragme qui s'était démis lorsqu'elle s'était levée ce matin...

— Vous ne comprenez pas, hoqueta-t-elle, le visage enfoui contre son torse.

— Non, je ne comprends pas. Je ne vous comprends pas du tout, Melanie.

Il s'écarta d'elle pour plonger son regard dans le sien.

— Et je ne partirai pas avant d'avoir obtenu quelques explications.

Elle ouvrit la bouche pour protester mais il avait déjà disparu. Sa voix grave et sensuelle résonna dans le couloir.

— Vous avez fait vite, Frieda. Avez-vous besoin d'aide ? Melanie est partie prendre une douche. Elle n'en a pas pour longtemps. Puis-je me rendre utile ? Il vous reste peut-être quelques légumes à éplucher ?

Frieda gloussa.

— Je vous en prie, Royce, vous êtes mon invité. Prenez une autre bière et allez plutôt vous installer sur la terrasse avec Wayne. Melanie vous rejoindra dès qu'elle sera présentable.

Melanie s'adossa à la porte de la salle de bains, en proie à une profonde confusion. Qu'allait-elle faire, à présent ?

Il ne fallait pas s'affoler. Après tout, il n'était pas certain qu'elle pût tomber enceinte, même si le moment était mal choisi... Il fallait se reprendre, garder son sang-froid. Et surtout, ne pas confier ses tourments à Royce. Dans un mois, il aurait quitté Sydney et elle serait fixée. Dans le pire des cas, elle n'aurait qu'à prendre les mesures appropriées.

Un frisson la parcourut. Jamais ! Jamais elle ne pourrait faire ça... mais avait-elle d'autre choix ?

Elle ôta son peignoir et se glissa dans la cabine de douche. L'eau froide ruissela sur son corps, dure, mordante.

« Je suis punie... Punie, songea-t-elle tandis que ses larmes se mêlaient aux gouttes d'eau. Pour quelle raison ? Ai-je jamais offensé, trahi, détruit quelqu'un ? C'était moi, la victime, au sein de mon couple, pas le contraire. Mais ça ne se reproduira plus, non ! »

Lorsqu'elle sortit de la douche un moment plus tard, elle avait retrouvé sa maîtrise de soi.

10.

Melanie pénétra dans la cuisine, vêtue d'un jean délavé et d'un pull-over bleu marine. Ses cheveux étaient retenus par un ruban de velours noir et elle avait posé sur ses lèvres une légère touche de gloss. Frieda lui désigna la terrasse où Wayne et Royce sirotaient leur bière, baignés par le doux soleil hivernal. Elle sortit les rejoindre.

— Vous ne serez plus en mesure de reprendre le volant, si vous continuez comme ça, lança-t-elle, sarcastique.

— C'est de la bière légère, tante Mel, l'informa Wayne tandis qu'elle s'installait dans un transat. Il faudrait vraiment que Royce en boive des dizaines pour ne plus pouvoir conduire correctement.

Melanie laissa échapper un rire ironique.

— Je crains que Royce soit incapable de conduire correctement en dehors d'un circuit de Formule 1. Tu aurais dû le voir au volant hier soir. Nous avons remonté Parramatta Road à la vitesse de l'éclair.

— Ta tante exagère, protesta Royce. Elle est juste un peu nerveuse en voiture.

— C'est assez compréhensible, observa Wayne en glissant un regard compatissant en direction de Melanie, avec l'accident et tout ça.

— Vous avez eu un accident de voiture, Melanie ? s'enquit Royce en fronçant les sourcils.

— Non, je…

— Ce n'était pas tante Mel, coupa Wayne.

Il s'interrompit en croisant le regard menaçant de sa tante.

— Désolé, Melanie. Je… j'avais oublié que tu n'aimais pas en parler. Bon, je crois que je ferais mieux de me taire.

— Excellente idée, approuva-t-elle avant de se radoucir un peu. Je plaisante, Wayne… Je n'ai rien à cacher, tu sais.

Elle se tourna vers Royce et expliqua simplement :

— Mon mari est mort dans un accident de voiture.

Elle avait parlé d'un ton ferme, croisant les doigts pour que son neveu comprenne le message : elle ne voulait pas parler de David.

— Je vois, dit Royce en la scrutant avec attention. Je suis désolé. Et je suis navré d'avoir conduit ainsi, hier soir. A quand remonte le drame ?

— C'était il y a quatre ans.

— Quatre ans… vous étiez mariés depuis longtemps ?

— Huit ans, répondit-elle d'une voix blanche.

— Et vous n'avez pas eu d'enfant, en huit ans ? C'est étonnant…

— Oui, n'est-ce pas ? admit-elle avec un détachement feint.

Wayne toussota légèrement et se leva en marmonnant une vague excuse.

— Quel tact, fit observer Royce lorsque la porte se referma derrière lui. Ce gamin me plaît bien.

— Ce n'est plus vraiment un gamin, objecta sèchement Melanie. Il est suffisamment mûr pour coucher avec sa petite amie sans l'aimer sincèrement, comme la plupart de ses congénères. Dieu merci, la petite amie en question a réagi à temps en décidant de prendre un peu de recul.

— Voulez-vous que je lui donne quelques conseils dans ce domaine ? demanda Royce, caustique. Par exemple, je pourrais lui suggérer d'envoyer à sa petite amie un bouquet de roses rouges accompagnés de messages d'amour. Les femmes adorent ça.

— Vous avez testé cette méthode personnellement ?

— Non, mais je l'ai vue fonctionner pour d'autres.

— Bien entendu, vous n'avez pas à recourir à tous ces stratagèmes... Votre devise à vous, c'est plutôt « *veni, vidi, vici* », n'est-ce pas ? Vous êtes tellement irrésistible !

— Vraiment ? C'est extrêmement flatteur, merci. Alors dites-moi, chère Melanie, ajouta-t-il en se penchant vers elle, ai-je justement réussi à conquérir votre cœur ?

Troublée par sa proximité, Melanie chercha à se défendre par des paroles blessantes.

— Vous plaisantez, j'espère ? C'est moi qui ai pris l'initiative de notre nuit d'amour, moi seule ! J'avais envie d'un homme depuis longtemps, et j'ai jeté mon dévolu sur vous pour des raisons évidentes. Mais j'ai toujours gardé le contrôle de la situation, monsieur le pilote de course, ne l'oubliez pas !

D'un geste vif, il saisit son menton et la força à rencontrer son regard.

— Et l'épisode de la cuisine ? Qui contrôlait la situation, tout à l'heure ? Vous étiez à ma merci, trésor. Je peux faire de vous ce que je veux, quand je veux, tenez-vous-e pour dit, conclut-il en la libérant avec un rictus méprisant.

— Vous croyez ?

Ses yeux noirs étincelèrent d'une lueur provocante.

— Allez-y, Royce, embrassez-moi. Embrassez-moi et goûtez ma froideur, goûtez mon mépris. Embrassez-moi et goûtez la haine que je voue aux hommes de votre espèce !

130

Il recula comme si elle l'avait giflé. Ses paroles avaient atteint leur cible. Elle venait de blesser son amour-propre.

— Le message commence à passer, enfin, reprit-elle d'une voix atone. Notre histoire est terminée, Royce. Je compte sur vous pour me laisser tranquille dès que nous nous serons dit adieu. Compris ?

Le visage de Royce se durcit. Son regard glacial lui fit froid dans le dos. A cet instant, la porte grinça et Wayne les invita à passer à table.

— Calmons-nous pour ne pas inquiéter votre famille, marmonna-t-il. Nous réglerons ça plus tard, en privé.

Le repas s'avéra un véritable calvaire pour Melanie. De son côté, Royce joua le jeu à la perfection. Au moment du café, il ouvrit son portefeuille et sortit quelques photos de sa demeure anglaise. Il s'agissait en fait d'un manoir de soixante pièces niché dans un parc verdoyant.

— C'est immense ! s'écria Frieda. L'entretien me découragerait d'avance !

— Moi, ça m'irait plutôt bien, remarqua Wayne. Je pourrais m'étaler dans toutes les pièces et il faudrait au moins six mois avant que quelqu'un me demande de tout ranger !

Royce rit de bon cœur.

— Ce serait le cas s'il n'y avait qu'une personne chargée de l'entretien. Mais j'ai engagé un bataillon de femmes de ménage et de jardiniers pour veiller sur la maison. J'ai l'intention de l'ouvrir au public pendant l'été, et l'hiver, je louerai la salle à manger ainsi que la salle de bal pour des soirées et des séminaires. Ces rentrées d'argent me permettront de payer les frais d'entretien qui s'avèrent exorbitants, comme vous l'imaginez.

Frieda et Wayne continuèrent à examiner les clichés, poussant de temps en temps des exclamations admiratives. N'y tenant plus, Melanie se leva et entreprit de débarrasser la table. Il était presque 15 heures et elle tenait à éviter une rencontre entre Royce et son frère qui ne tarderait pas à rentrer. Comme s'il devinait ses pensées, Royce se leva à son tour et proposa de faire la vaisselle.

— Ne vous tracassez pas, répondit Frieda. Ron m'a offert un lave-vaisselle pour Noël. Pourquoi n'allez-vous pas vous promener un peu avec Melanie ?

— Excellente idée. Qu'en dites-vous, Mel ? Vous vouliez me montrer le Darling Harbour aujourd'hui, vous vous souvenez ?

Elle se força à rencontrer son regard.

— C'est vrai, oui. Mais je préférerais que nous prenions chacun notre voiture. Ce sera plus facile pour moi de rentrer à Belleview ensuite.

— Entendu. Partez devant et je vous suivrai. Comme ça, vous ne pourrez pas m'accuser de conduire comme un fou.

Sans mot dire, Melanie alla chercher ses affaires dans sa chambre. Le calvaire était bientôt terminé.

— Ron sera déçu de vous avoir manqué, Royce, déclara Frieda en les accompagnant jusqu'au portail. Peut-être trouverez-vous le temps de passer nous voir un autre jour.

— J'en doute, Frieda. Je prends l'avion pour Melbourne demain matin.

— Mais je croyais que vous restiez à Sydney jusqu'à la fin du mois ! s'écria Frieda, aussi surprise que Melanie.

— Non, ce n'est pas ce que j'ai dit. Je reviendrai à Sydney pour la vente aux enchères ; entre-temps, j'ai l'intention de visiter un peu le reste du pays.

— Quel dommage ! Alors je vous dis au revoir tout de suite, ajouta-t-elle en lui tendant la main.

Royce la gratifia d'un sourire chaleureux.

— Au revoir, Frieda. J'ai passé une excellente journée en votre compagnie. Merci pour tout.

Contre toute attente, Melanie sentit sa gorge se serrer. C'était plus qu'un simple « au revoir », c'était un « adieu ».

Recouvrant ses esprits, elle s'éclaircit la gorge, remercia à son tour Frieda et se dirigea vers sa petite voiture d'occasion tandis que Royce se glissait au volant de la Ferrari dont le moteur rugit bruyamment. Elle s'engagea sur Parramatta Road et parcourut quelques centaines de mètres à vitesse réduite. Tout à coup, Royce la doubla et, se rabattant juste devant elle, la força à se ranger précipitamment le long du trottoir.

Elle le vit alors bondir hors de son bolide. Le visage sombre, il se dirigea vers elle d'un pas rageur.

— A quoi jouez-vous, à la fin ? tempêta-t-il en ouvrant sa portière à toute volée. Je n'ai pas l'intention de vous suivre dans toute la ville à dix kilomètres à l'heure, figurez-vous !

— Je me moque de vos intentions, Royce, riposta-t-elle d'un ton mordant.

— Tant mieux ! En tout cas, sachez que je ne dirai pas que j'ai été ravi de vous rencontrer. Vous m'avez mis à la torture tout au long du week-end ! Avec un peu de chance, je trouverai une gentille fille à Melbourne, tellement simple et ordinaire qu'elle en sera presque ennuyeuse. Mais même l'ennui sera préférable à ce que vous venez de me faire subir !

Laissant échapper un rire sans joie, il se redressa et darda sur elle un regard glacial.

— Je ne prendrai pas le risque de vous embrasser une dernière fois, au cas où vous auriez eu l'idée diabolique de passer un poison mortel sur vos lèvres, à la manière des veuves noires. Juste un dernier conseil, avant de disparaître : évitez d'insulter vos amants une fois que vous avez obtenu ce que vous souhaitiez d'eux. Vous pourriez tomber sur quelqu'un de très susceptible qui se fâcherait beaucoup... par les temps qui courent, mieux vaut rester sur ses gardes !

Sur ce, il regagna la Ferrari sans un regard en arrière. Il fit demi-tour dans un crissement de pneus et partit comme une flèche.

Mortifiée, Melanie éclata en sanglots. Royce était sorti de sa vie et l'enfant qu'elle portait peut-être ne connaîtrait jamais son père.

Le lundi matin, Gemma poussa la porte de la joaillerie avec un entrain qu'elle n'avait pas éprouvé depuis longtemps. Elle avait passé un merveilleux week-end. Après s'être réconciliée avec Nathan autour d'un succulent dîner aux chandelles qu'elle avait confectionné, ils avaient fait l'amour tendrement puis, au lieu de s'endormir comme il en avait l'habitude, Nathan lui avait longuement parlé de son travail : ses difficultés à trouver les émotions justes pour les personnages de sa nouvelle pièce ; son projet de mise en scène pour la pièce produite par Byron, intitulée « La Femme en noir ».

Lorsqu'elle voulut en savoir davantage sur le thème de cette pièce, il resta très vague, arguant qu'il préférait lui réserver la surprise pour le soir de la première qui aurait lieu dans quelques mois. Ensuite, il avait parlé de Lenore avec un détachement teinté d'irritation qui avait effacé tous les doutes de Gemma. Certes, Lenore était une comédienne exceptionnelle, mais à la moindre faute, il n'hésiterait pas à se débarrasser d'elle. Byron lui avait donné son accord sur ce point.

S'ils avaient passé un excellent samedi, la journée du dimanche s'était avérée encore plus agréable. Pour la première fois depuis longtemps, Kirsty l'avait appelée et elles avaient eu une longue conversation téléphonique, placée sous le signe du rire et de la bonne humeur. La jeune fille lui avait présenté des excuses pour son attitude ces derniers temps. Bouleversée, Gemma lui avait volontiers pardonnée, trop heureuse de voir que tout s'arrangeait enfin au sein de leur famille.

Un sourire radieux flottait sur ses lèvres tandis qu'elle s'affairait derrière le comptoir de la bijouterie. Hélas, ce sourire s'effaça lorsque le premier client fit son apparition.

— Monsieur Grantham !

— Appelez-moi Royce, je vous en prie.

Gemma jeta un coup d'œil anxieux en direction de la porte, redoutant une visite surprise de Nathan.

— Je… je ne peux pas vous parler, expliqua-t-elle à mi-voix.

— Pourquoi, grands dieux ? Oh, je comprends. Vous craignez que votre brute de mari nous surprenne en pleine conversation.

— Nathan n'est pas une brute, protesta Gemma avec véhémence. C'est juste que… que…

— Oubliez ça, jeune fille. Je ne suis pas d'humeur à polémiquer, aujourd'hui. En vous apercevant derrière le comptoir, je n'ai pas pu m'empêcher de venir vous poser une dernière question, avant mon départ pour Melbourne. Melanie était-elle heureuse auprès de son mari ?

— Je… je n'en ai pas la moindre idée, balbutia Gemma, prise au dépourvu. Je ne la connaissais pas avant… je veux dire, avant la mort de son mari et de son bébé.

La stupéfaction se peignit sur le visage de Royce.

— Vous voulez dire que… qu'elle avait un bébé ? Un bébé qui a péri en même temps que son mari… dans le même accident ?

Gemma hocha gravement la tête.

— Oui. Il paraît que le drame s'est déroulé sous ses yeux, au bout de sa rue. Elle a sombré dans une grave dépression nerveuse, après ça. En fait, je crois qu'elle ne s'est pas encore remise du choc.

— Seigneur, murmura Royce, atterré par la nouvelle. Si seulement j'avais su…

Gemma remarqua tout à coup ses traits tirés, sa barbe de deux jours et son regard trouble, comme s'il n'avait pas fermé l'œil de la nuit.

— Vous pensez que vous auriez pu la convaincre de sortir avec vous si vous aviez été au courant ?

Les yeux bleu dur de Royce brillèrent d'une étrange lueur. Etait-ce de l'amusement ou du désespoir qu'elle lut dans son regard ? Pour une raison inexplicable, elle se sentit tout à coup submergée par une profonde tristesse.

— Royce, murmura-t-elle en effleurant doucement son bras, si cela peut vous consoler, je crois que Melanie vous apprécie beaucoup, malgré les apparences.

— J'en doute, chère Gemma. J'en doute fort. Même si l'idée me réchauffe le cœur juste avant mon départ.

— Vous ne reviendrez pas pour le bal ?

— Je ne sais pas. Peut-être que si, par pur masochisme. Elle y assistera, à votre avis ?

— Melanie ? Non, ça m'étonnerait. Elle ne sort jamais, sauf pour aller déjeuner chez son frère le dimanche. C'est une femme triste et solitaire. Si vous voulez mon avis, je ne pense pas qu'elle ait été heureuse auprès de son mari.

Royce la considéra d'un air intrigué.

— Qu'est-ce qui vous fait dire ça ?

— Oh, ce n'est qu'une simple présomption, toutefois j'ai remarqué que, lorsqu'elle parle du mariage et des hommes en général, il y a toujours de l'amertume dans sa voix. Elle

136

n'évoque jamais le passé, mais il plane au-dessus d'elle comme une ombre menaçante.

— Je vois ce que vous voulez dire, commenta Royce. Le passé peut avoir des répercussions dramatiques sur notre vie, un peu comme une blessure mal cicatrisée qui continuerait à affaiblir sournoisement l'organisme. Dans ce cas, je crois qu'il vaut mieux tirer un trait sur ce qui nous mine et repartir sur de nouvelles bases... Mais ce ne sont que des belles paroles, conclut-il d'un ton empreint de mélancolie. Bon, je vous reverrai probablement au bal, escortée de votre garde du corps ?

Gemma ne put s'empêcher de rougir.

— Je... Oui, sans doute.

— Eh bien, je vous rendrai service en feignant de vous ignorer.

Tournant les talons, il se dirigea vers la vitrine pour admirer une dernière fois l'Opale noire.

— A votre avis, quelle somme atteindra l'enchère ?

— Je dirais un million de dollars. Peut-être plus, qui sait ?

— C'est beaucoup d'argent pour quelque chose qu'on ne peut qu'admirer.

Sur ces paroles sibyllines, il quitta la boutique, laissant Gemma en proie à la plus grande confusion. Royce Grantham était tombé sous le charme de Melanie. Quel dommage que cette dernière refusât obstinément de reprendre goût à la vie !

Au prix d'un effort, Gemma s'arracha à ses réflexions moroses et ouvrit le livre de comptes. Sans vraiment savoir pourquoi, la visite de Royce avait entamé sa bonne humeur. A la fois énigmatiques et terriblement justes, ses propos sur le passé continuaient à la hanter. Elle aurait tant aimé que Nathan lui parle de ce qu'il avait vécu avant d'être adopté par Byron… En même temps, l'envie d'en savoir davantage sur ses propres origines refit surface, insidieuse.

L'arrivée d'un groupe de touristes japonais mit un terme à sa rêverie. Réprimant un soupir, Gemma se força à afficher un sourire avenant et alla les accueillir.

11.

— Oh, j'ai tellement hâte d'y être ! s'écria Ava en posant son pinceau. Jour J moins un ! Sincèrement, Melanie, vous aimez ma robe ?

Melanie leva les yeux des étagères qu'elle était en train d'épousseter pour rassurer Ava d'un sourire.

— Pour la énième fois, Ava, oui, votre robe me plaît beaucoup. Elle est très jolie et vous va à ravir. Vous avez bien fait de choisir du bleu, c'est vraiment votre couleur.

— Vous trouvez aussi ?

Ava se leva d'un bond, manquant renverser son chevalet. Elle le rattrapa *in extremis* et exhala un long soupir de soulagement.

— J'ai peut-être perdu quelques kilos, mais je suis toujours aussi maladroite, lança-t-elle avec une moue penaude.

— Je trouve que vous avez fait des progrès, objecta Melanie en riant. Cela fait une éternité que vous n'avez rien cassé !

Avec un sourire satisfait, Ava se dirigea vers la penderie pour admirer sa nouvelle robe. C'était une femme tellement douce, songea Melanie en l'observant du coin de l'œil. Lorsque Byron l'avait priée d'être sa cavalière au grand bal de l'Opale sponsorisé par les joailleries Whitmore, elle avait bondi de joie, ravie que son frère aîné ait pensé à elle.

Inévitablement, les pensées de Melanie se tournèrent vers Royce. Avait-il pensé à elle depuis qu'il avait quitté Sydney ? Probablement pas. Pas après la façon dont elle l'avait traité. De toute façon, il ne servait à rien de s'apitoyer sur son propre sort, elle avait bien mérité ce qui lui arrivait.

Car il ne s'était pas passé un seul jour sans qu'elle regrettât ses actes et ses paroles.

Elle jeta un coup d'œil à sa montre. Elle avait promis au médecin de l'appeler à 11 heures afin de lui faire part de sa décision. Objectivement, l'interruption volontaire de grossesse lui semblait la solution la plus raisonnable et pourtant... pourtant, elle ne supportait pas l'idée d'attenter à la vie du bébé qui grandissait en elle, jour après jour...

Son médecin la jugeait encore trop fragile sur le plan psychologique pour élever seule un enfant après le drame qu'elle avait vécu. Mais, bien sûr, la décision finale lui appartenait. Au fond d'elle, son instinct maternel livrait une bataille sans merci à sa raison.

Le bip de son Interphone portable la fit sursauter. Les visites impromptues étaient rarissimes, à Belleview. Plongeant la main dans sa poche, elle sortit l'appareil.

— Oui ?

— Une livraison de fleurs pour Mme Melanie Lloyd.

Ava fit volte-face.

— Des fleurs, Melanie ? Pour vous ? Tiens, tiens, j'aimerais bien savoir qui vous les envoie...

Melanie sentit son estomac se nouer. Royce. Ça ne pouvait être que Royce. De retour à Sydney pour acheter l'Opale noire. Son cœur s'emballa. Vu la façon dont ils s'étaient quittés, pourquoi lui envoyait-il des fleurs ?

— Je vous ouvre la grille, déclara-t-elle en pressant le bouton de commande. Dirigez-vous vers la porte de service, à côté des garages.

140

Elle quitta la chambre d'un pas pressé, Ava sur ses talons.

— Melanie ? Savez-vous qui vous envoie ces fleurs ?

— Oui, je crois. Royce Grantham.

— Mais… mais…

— Je vous expliquerai plus tard, Ava. Pour le moment, je dois aller ouvrir au livreur, dit-elle en accélérant le pas.

Malgré son expression impassible, son cœur battait la chamade lorsqu'elle ouvrit la porte de service. La vue d'un énorme bouquet de roses rouges lui coupa le souffle.

— Madame Lloyd ? s'enquit le livreur.

— Oui.

— Voici pour vous. En principe, c'est dans les maternités que je livre des bouquets de roses aussi impressionnants, ajouta-t-il d'un ton espiègle. Si vous voulez mon avis, vous avez là un fervent admirateur.

Melanie s'empara du bouquet, referma la porte et s'y adossa un instant avant d'ouvrir l'enveloppe d'un geste fébrile. Une courte phrase s'inscrivait sur le carton : « Vous m'avez manqué. Royce. »

A son grand désarroi, des larmes lui picotèrent les paupières. Comme elle aurait aimé croire en sa sincérité ! Comme elle aurait aimé que ce geste soit une vraie preuve d'affection…

« Oh, mon Dieu… serais-je amoureuse de lui ? »

La voix claironnante d'Ava l'arracha à ses pensées.

— Oh là là, c'est la première fois que je vois autant de roses rouges ! Elles sont magnifiques ! Alors, c'est bien Royce Grantham qui vous les a envoyées ?

— Oui, répondit Melanie d'un ton bref.

Ava lui jeta un regard intrigué.

— Ça n'a pas l'air de vous réjouir, Melanie. La plupart des femmes sauteraient au plafond en recevant un bouquet comme celui-ci.

— C'est précisément ce qu'il espère.

— Je ne suis pas sûre de bien comprendre, reprit Ava. Pour être franche, j'ignorais que vous connaissiez personnellement Royce Grantham. L'avez-vous revu depuis le dîner que Byron avait organisé ici ?

Prise de court, Melanie improvisa.

— Je l'ai revu une fois, oui... en tout bien tout honneur, mentit-elle avec assurance. Il a quitté Sydney depuis quelques semaines et je n'ai reçu aucune nouvelle. Sans doute est-il revenu pour participer à la vente aux enchères. Il voudra peut-être m'inviter au bal ; les gens célèbres détestent apparaître seuls en public, vous savez. N'accordez pas trop d'importance à ce bouquet, Ava, ajouta-t-elle d'un ton dur. Royce est immensément riche et, comme tous les hommes de son espèce, il aime impressionner les femmes à coups d'attentions démesurées. Mais pour lui, ça ne veut pas dire grand-chose.

— Vous êtes sûre ? Tout de même, Melanie, il doit avoir le béguin pour vous envoyer un bouquet aussi somptueux ! C'est drôle, j'étais à mille lieues de penser que vous... En fait, je croyais que... que...

— Et vous aviez raison, Ava. Je ne sors pas d'habitude. J'ai accepté l'invitation de Royce Grantham sur un coup de tête. Il avait besoin d'un guide pour le week-end, j'ai dit oui pour lui rendre service. De toute façon, il rentre en Angleterre le lendemain du bal, alors n'allez pas imaginer des choses invraisemblables, je vous en prie ! Il ne s'agit que d'une amitié passagère, certainement pas d'une histoire d'amour.

142

— Comme c'est dommage ! Royce Grantham est ouvert et intelligent ; c'est exactement le genre d'homme qu'il vous faut, Melanie.

Elle ne put s'empêcher de rire.

— Vous êtes une incorrigible romantique, Ava.

— Oui, et alors ? Le monde manque cruellement de romantisme, si vous voulez mon avis.

— Vous avez raison.

— Vous… vous devriez vraiment tourner la page, Melanie, reprit Ava avec une grande douceur. Je sais que vous avez subi un traumatisme terrible, mais la vie continue. Vous êtes jeune et belle, même si vous faites tout pour le dissimuler. Vous ne pouvez tout de même pas passer votre vie dans ce mausolée, à vous occuper de Byron et moi. Il est encore temps pour vous de trouver un gentil mari avec qui vous aurez envie de fonder une famille. Vous ferez une maman merveilleuse, Melanie, j'en suis… oh non, qu'est-ce qui m'a pris ?

Elle s'interrompit, voyant que Melanie pleurait.

— Oh, Melanie, je suis désolée, je n'aurais pas dû vous dire tout ça. Je vais vous laisser mais d'abord je vous promets de ne plus jamais aborder ce sujet.

— Non, ne partez pas ! s'écria Melanie en reniflant. Je… je ne suis pas en colère contre vous, c'est juste que… Restez un peu auprès de moi, je vous en prie.

Submergée par une vive émotion, Ava sentit des larmes de compassion lui picoter les yeux. Elle prit Melanie dans ses bras et la serra contre sa poitrine généreuse en murmurant quelques paroles de réconfort.

— Je… je suis désolée, vraiment. D'ailleurs, qui suis-je pour vous donner ce genre de conseils ? Mademoiselle vieille fille en personne… toujours terrée chez elle, à fuir la vraie vie, à se jeter sur la nourriture pour compenser… à faire semblant que tout va bien…

Sa voix se brisa tandis qu'elle laissait libre cours à ses sanglots. Bientôt, les rôles s'inversèrent et Melanie tenta de la consoler du mieux qu'elle put.

— Ne soyez pas trop dure envers vous-même, Ava, murmura-t-elle en lui tendant une boîte de mouchoirs en papier. Vous aussi, vous avez la vie devant vous. Agissez avant qu'il ne soit trop tard.

Entre deux reniflements, Ava essuya légèrement ses yeux humides à l'aide d'un mouchoir.

— Vous croyez que c'est encore possible ?

— Bien sûr, voyons ! Vous n'avez qu'à mettre le nez dehors plus souvent. Inscrivez-vous à un club, à une association, lancez-vous dans le bénévolat — tous les prétextes sont bons pour sortir de sa coquille ! Vos rêves ne se réaliseront jamais si vous ne leur laissez aucune chance...

— C'est exactement ce que Jade ne cesse de me répéter. Elle m'a même offert quelques-uns des bijoux de sa mère, vous vous rendez compte ? Elle m'a dit de les vendre pour prendre des cours de peinture ou pour partir en croisière autour du monde... au choix !

— Cette fille est formidable. Des cours de peinture... bien sûr, pourquoi n'y avons-nous pas pensé avant ?

Ava étouffa un soupir.

— Parce que je n'ai aucun talent particulier.

— Ava, comment pouvez-vous dire ça ? Vous savez que c'est faux.

— Ce n'est pas l'avis de Byron, murmura Ava.

— Au diable Byron !

Ava prit un air offusqué.

— Au diable Byron ?

— Oui, au diable ! reprit Melanie.

Sa compagne gloussa.

— Ça me plaît bien, oui… qu'il aille au diable ! s'enhardit-elle en riant de plus belle. Je saurai m'en souvenir la prochaine fois qu'il me traitera d'idiote ou de bonne à rien.

— Ça vous aidera, vous verrez !

— Quant à vous, Melanie, vous allez faire en sorte de trouver un bon mari avec qui vous reprendrez goût à la vie.

Melanie esquissa un pâle sourire.

— Je ne vous promets pas de miracles, mais je peux essayer de m'orienter dans cette direction.

— Quel dommage que M. Grantham retourne en Angleterre ! observa Ava avec un soupir. Il aurait pu être votre nouveau prince charmant.

Le cœur de Melanie se serra.

— Je ne crois pas, Ava. Royce Grantham n'est pas du genre à vouloir s'engager.

— Vous avez sans doute raison… Bon, je ferais mieux d'aller me rafraîchir un peu. Moi, je ne suis pas de celles à qui les larmes vont bien ! J'ai le visage tout enflé…

Melanie sourit.

— N'exagérez pas !

— Allez, je file… A plus tard, Melanie!

— A plus tard, Ava.

Une fois seule, Melanie se tourna vers le bouquet de roses. Elles étaient magnifiques, certes, avec leurs pétales veloutés et leur délicat parfum, mais elles ne devaient pas lui tourner la tête. D'autres impératifs requéraient son attention.

Elle s'apprêtait à décrocher le téléphone pour appeler le médecin lorsque la sonnerie retentit. Prise d'une sourde appréhension, elle s'empara du combiné et déclara avec raideur :

— Belleview, Melanie Lloyd à l'appareil.

145

Un rire moqueur retentit à l'autre bout du fil.

— C'est bien elle, cela ne fait aucun doute. Ce ton sévère, cette formule guindée… c'est du Melanie Lloyd tout craché.

— Royce.

— Vous vous souvenez de moi ? Ou peut-être avez-vous reçu les roses, tout simplement ?

Melanie déglutit péniblement. Après tout ce temps, le simple son de sa voix continuait à produire un effet infiniment troublant sur son pauvre cœur.

— Vos fleurs sont arrivées, en effet. Que voulez-vous, Royce ? enchaîna-t-elle en s'efforçant de maîtriser le tremblement de sa voix. Il me semble que nous nous sommes fait nos adieux, l'autre jour. A moins que je ne me sois pas clairement fait comprendre. Je ne veux plus jamais vous revoir. Adieu, Royce.

— Attendez ! Je vous en prie, Melanie, ne raccrochez pas tout de suite.

L'intonation presque implorante de sa voix la toucha plus qu'elle ne l'aurait souhaité ; elle ne raccrocha pas.

— Je suis désolé, dit-il simplement. Pour tout.

— Vous… vous ne vous êtes pas conduit plus mal que moi, balbutia-t-elle, désarçonnée.

— Je ne partage pas votre avis. C'est moi, le responsable de notre fiasco. Je vous ai traquée, harcelée, j'ai exploité votre vulnérabilité. Je n'ai peut-être pas bien compris les raisons de votre fragilité, mais j'ai délibérément ignoré vos émotions, aveuglé par le désir que j'éprouvais pour vous. Je me suis montré égoïste et arrogant. Je suis sincèrement, profondément désolé, Melanie.

Malgré elle, Melanie se sentit fondre. Les propos de Royce vibraient de sincérité et en dépit de ses résolutions, une faible lueur d'espoir jaillit au fond de son cœur.

146

— Venez avec moi au bal, demain soir, proposa-t-il avec douceur.

Melanie ne sut que répondre. Que penseraient les Whitmore en la voyant au bal au bras de Royce ?

— Melanie ?

Elle se mordit la lèvre, hésitante.

— Vous n'avez rien à vous mettre, c'est ça ?

— Si, j'ai une penderie pleine de robes de soirée chez mon frère. Nous sortions beaucoup, mon mari et moi.

— Je ne veux pas que vous portiez ces tenues-là, déclara Royce avec brusquerie. Je vous enverrai une nouvelle robe.

— Ne soyez pas ridicule, Royce. Que se passera-t-il si cette robe ne me plaît pas, ou si elle ne me va pas ?

— Si elle vous plaît et qu'elle vous va, promettez-moi de la porter.

Il y eut un bref silence.

— C'est promis, d'accord. Mais seulement à ces conditions.

— Marché conclu. Je vous ferai livrer demain à midi, et je passerai vous prendre chez votre frère à 8 heures.

Melanie laissa passer quelques secondes avant de poser la question qui lui brûlait les lèvres.

— Avez-vous toujours l'intention de rentrer en Angleterre après-demain ?

Son hésitation fut plus éloquente que mille explications.

— Ça dépend, répondit-il finalement, énigmatique.

— De quoi ?

— Je vous en parlerai demain soir.

Melanie étouffa un soupir.

— Entendu.

— Melanie…

— Oui ?

— Merci.

— De quoi ?

— D'avoir accepté mon invitation. Vous ne le regretterez pas.

« Si, je le regrette déjà », songea-t-elle en raccrochant. Rien n'avait changé. Royce n'était pas amoureux d'elle. Et il venait tout juste de la piéger.

Pourquoi avait-elle accepté de le voir une dernière fois avant son départ ?

Précisément parce qu'il s'agissait de la dernière fois. Une dernière soirée dont elle se souviendrait à jamais. En guise d'adieu au père de son enfant.

Melanie soupira de nouveau. Elle avait pris sa décision. Décrochant le combiné, elle composa le numéro de son gynécologue. La secrétaire lui passa aussitôt le Dr Hyland.

— Docteur Hyland, Melanie Lloyd à l'appareil. Merci pour vos conseils éclairés mais je… j'ai décidé de garder mon bébé.

12.

— Es-tu certain que mon décolleté n'est pas trop profond, Nathan ? demanda Gemma en émergeant de la salle de bains.

La robe de style Empire qu'elle arborait avait été spécialement commandée pour elle par Nathan. Coupée dans une mousseline agrémentée de dentelle, froncée juste sous la poitrine, elle s'avérait beaucoup moins sage que ce que Gemma avait cru en la voyant dans l'album de costumes anciens qui avait séduit Nathan. Surtout avec ce décolleté pigeonnant qui laissait deviner les globes nacrés de sa poitrine. Connaissant la jalousie quasi maladive de son époux, elle ajouta d'un ton conciliant :

— Je peux mettre autre chose, si tu préfères.

Plus séduisant que jamais dans un smoking noir qu'éclairait une chemise d'une blancheur immaculée, Nathan l'examina longuement avant de s'approcher d'elle, le regard soudé au sien. Il prit la main qu'elle avait pudiquement portée à sa gorge et la porta à ses lèvres.

— Ne sois pas ridicule. Tu es ravissante. Nul doute que je risque de faire des envieux, ce soir. Ton décolleté est un peu audacieux, c'est vrai, mais j'ai là quelque chose qui devrait remédier à ce petit souci, ajouta-t-il en sortant de sa poche intérieure un écrin de velours bleu nuit.

— Ouvre-le, ordonna-t-il comme elle s'apprêtait à protester.

Elle obéit, en proie à une inexplicable mélancolie. Dès le début de leur rencontre, Nathan l'avait couverte de cadeaux coûteux et raffinés : sur sa coiffeuse se côtoyaient des flacons de parfum ouvragés, de luxueux accessoires de maquillage, de délicates figurines de faïence… il y avait aussi une brosse et un miroir de poche en argent massif. Partagée entre l'émerveillement et la frustration, elle découvrit un triple rang de perles entrelacé d'or et une paire de boucles d'oreilles assorties. C'était une parure somptueuse et Gemma s'efforça d'être heureuse… en vain.

Au cours des semaines passées, leur relation avait changé. A l'instar de Nathan.

Ce dernier se montrait plus distant, moins disponible qu'avant. Absorbé par son nouveau projet de mise en scène, il rentrait à la maison de plus en plus tard, éreinté. Seule sa possessivité était restée intacte. Gemma avait toujours la désagréable impression de n'être qu'un objet aux yeux de son mari. Il prenait toutes les décisions sans jamais la consulter et s'attendait à ce qu'elle approuve docilement, comme une bonne petite épouse entièrement dévouée à son mari.

La voix de Nathan l'arracha à ses sombres pensées.

— Je savais que les perles rehausseraient à merveille cette robe, observa-t-il en lui attachant le collier autour du cou. Tu as retrouvé un teint exquis, depuis que tu prends garde au soleil.

Il promena ses doigts sur sa peau satinée puis pressa ses lèvres à la naissance de son épaule, tout au bord des manches délicatement froncées. Gemma frissonna, mais pas de plaisir : l'attitude de Nathan l'intriguait. Il semblait perdu dans ses pensées, presque indifférent à ce qui l'entourait, et pourtant elle avait surpris à plusieurs reprises son regard pénétrant posé sur elle, comme s'il cherchait à percer un obscur secret.

Avant qu'elle ait le temps de le questionner, il tourna les talons et se dirigea vers la porte.

— Finis de te préparer et rejoins-moi lorsque tu seras prête, lança-t-il d'un ton dénué de chaleur.

Gemma le suivit des yeux, assaillie de nouveau par les incertitudes qui l'empêchaient de savourer pleinement son bonheur.

Seul dans son bureau, Nathan se dirigea vers son secrétaire. Il ouvrit le premier tiroir et contempla gravement l'épaisse enveloppe en papier kraft. L'enquête sur le passé de Gemma lui avait coûté une petite fortune, mais l'homme que lui avait recommandé Zachary avait rempli sa mission. Hélas, ce qu'il avait découvert était tellement effroyable qu'il avait pris la décision — après mûre réflexion— de n'en parler à personne. Et surtout pas à Gemma.

Avait-il réellement eu du mal à prendre cette décision ? Un sourire désabusé apparut sur ses lèvres. Pas tant que ça, au fond…

Il referma le tiroir d'un geste sec, le verrouilla et ôta la clé qu'il glissa dans sa poche. Effaçant le rictus qui crispait sa bouche, il quitta la pièce pour gagner salon.

A 20 h 15, Melanie s'installait dans la grande limousine blanche, à côté de Royce, très beau dans un smoking noir orné de revers en satin qui se mariait à merveille avec la tenue de Melanie. Il avait choisi pour elle une longue robe en satin violet foncé, d'une élégance à la fois sobre et raffinée. Le décolleté bateau mettait en valeur ses épaules

151

laiteuses ; épousant les rondeurs de son buste et la finesse de sa taille, la robe s'évasait en larges plis souples et soyeux. Dans le colis qu'on lui avait livré le matin même à Belleview, Gemma avait trouvé une paire d'escarpins de soie noire, un petit sac de soirée assorti et un ruban de soie orné d'un cœur en or délicatement ouvragé qu'elle avait noué autour de son cou.

L'ensemble lui allait parfaitement, et comme elle manifestait son étonnement auprès de Frieda, sa belle-sœur lui avait avoué sa complicité d'un air penaud. La veille au soir, elle avait remis à Royce une des robes de soirée de Melanie ainsi qu'une paire de chaussures, afin qu'il ne se trompât pas dans les tailles.

Dans la voiture, Royce la détailla d'un air admiratif.

— Désirez-vous un peu de champagne, belle dame ? demanda-t-il d'un ton suave en se penchant vers le minibar.

— Pourquoi pas ? répondit Melanie avec une désinvolture qu'elle était loin d'éprouver.

Royce remplit les flûtes en cristal. Il lui en tendit une et leva la sienne en souriant.

— A la plus belle femme du monde !

Il fit tinter son verre contre le sien et but une longue gorgée, son regard soudé au sien. Une bouffée de tristesse envahit soudain Melanie. Si elle ne connaissait pas par cœur les tactiques des don Juan et autres Casanova dans son genre, elle serait volontiers tombée dans le piège. Royce Grantham possédait un charisme et un magnétisme exceptionnels.

Refoulant sa morosité, elle trempa les lèvres dans le breuvage pétillant. En acceptant l'invitation de Royce, elle s'était promis de profiter de chaque instant de la dernière soirée qu'ils passaient ensemble, sans songer au lendemain. Rassérénée, elle avala une autre gorgée de champagne.

— Je suis au courant, pour le bébé, déclara soudain Royce.

Melanie faillit s'étrangler. Comme sa flûte tanguait dangereusement entre ses doigts tremblants, Royce la lui retira pour la poser sur l'accoudoir. Dans un geste protecteur, quasi instinctif, Melanie porta la main à son ventre.

— Vous… c'est impossible, articula-t-elle. Je… je n'en ai parlé à personne…

— Oui, je sais, mais je me suis permis d'interroger Gemma.

— Gemma ? répéta-t-elle, interloquée.

Royce fronça les sourcils.

— Oui, Gemma Whitmore, la femme de Nathan ! Je suis passé la voir avant de quitter Sydney ; je brûlais d'en savoir davantage à votre sujet. Elle m'a dit que votre mari n'était pas seul dans la voiture, au moment de l'accident. Il y avait aussi votre bébé.

Melanie fut secouée d'un violent frisson, partagée entre le soulagement et une tristesse indicible. Ainsi, Royce parlait de David…

— Je compatis à votre chagrin, Melanie, reprit-il avec douceur. En même temps, je me sens terriblement coupable. Aveuglé par mes propres envies, je suis passé à côté de votre désarroi.

Encore sous le choc, Melanie se contenta de hocher la tête. Royce captura sa main et l'effleura d'une tendre caresse.

— Je n'ai pas cessé de penser à vous, Melanie. Dieu sait pourtant que j'ai essayé… oui ! C'est la première fois que j'éprouve des sentiments aussi forts, aussi dévorants pour une femme. Je suis sûr de moi, à présent. Je vous aime, Melanie, je vous ai aimée dès l'instant où j'ai posé les yeux sur vous.

Melanie sentit une vive douleur lui transpercer le cœur. Il y avait eu les roses… et maintenant, la déclaration d'amour. Enflammée, évidemment. Comme s'il appliquait à la lettre les conseils qu'il avait prodigués à Wayne — avec succès, d'ailleurs.

— Arrêtez, Royce, ne gâchez pas la soirée avec des absurdités ! trancha-t-elle d'un ton lourd d'ironie. J'apprécie beaucoup votre compagnie, je ne le nie pas. Vous êtes un homme charmant, drôle et intelligent… vous êtes aussi un amant fantastique, mais ne me parlez pas d'amour, je vous en prie. Comment pourriez-vous m'aimer alors que vous ne me connaissez pas ?

— C'est ce que je désire le plus au monde : apprendre à vous connaître, seulement vous ne m'en laissez pas l'occasion !

— C'est vrai, admit Melanie.

— Pourquoi ?

Pourquoi ? Elle le considéra avec attention, ignorant le chaos qui régnait dans son cœur pour s'accrocher à la certitude qui habitait son esprit. Royce était un autre Joel. Elle l'avait senti au premier jour de leur rencontre, et cette sensation refusait de se dissiper. Contrairement à ce qu'il prétendait, ce n'était pas pour elle qu'il était à Sydney, mais pour l'Opale noire. Il ne l'aimait pas. Et elle refusait de vivre une deuxième fois les affres cruelles de la désillusion.

Devant son mutisme, Royce exhala un soupir résigné. Au bout de quelques instants, il l'enlaça et caressa tendrement ses cheveux soyeux.

— Vous avez raison, votre vie privée ne regarde que vous, murmura-t-il à contrecœur. Je vous promets de ne plus vous embêter avec ça, Melanie chérie. Contentons-nous de profiter pleinement de notre soirée, d'accord ?

Envahie par une délicieuse vague de chaleur, Melanie posa sa joue contre l'épaule de son compagnon.

— D'accord, dit-elle dans un souffle.

Royce relâcha son étreinte et saisit de nouveau la bouteille de champagne.

— Buvons encore un peu de cet excellent millésime ! Que cette soirée reste à jamais gravée dans nos mémoires.

13.

La salle de bal de l'hôtel Regency rappelait le faste désuet des grandes demeures d'Europe. Ses murs disparaissaient entièrement sous d'immenses glaces, des moulures dorées à l'or fin ourlaient les hauts plafonds ornés de lustres en cristal étincelant.

En proie à une nervosité grandissante — pourquoi n'avait-elle pas avoué à Byron et Ava qu'elle assisterait au bal ?—, Melanie avança sur le tapis rouge qui s'étalait jusqu'au centre du salon. Son regard balaya les grandes tables drapées de blanc, brillantes d'argenterie, de porcelaine et de cristal. Des petits groupes de convives entouraient l'estrade et l'orchestre.

Ce fut Byron qu'elle aperçut en premier. Avec ses cheveux noir de jais et sa stature imposante, il dominait ses compagnons. A sa gauche se tenait Jade, resplendissante dans un long fourreau pourpre, et à sa droite Ava, élégante et sensuelle dans sa robe drapée d'un beau bleu saphir. Kyle se joignit à eux à cet instant, avec deux flûtes de champagne. Gemma et Nathan demeuraient invisibles.

Un valet de pied s'approcha de Royce et Melanie. Il prit leurs invitations et annonça d'une voix forte, teintée d'un accent shakespearien :

— M. Royce Grantham accompagné de Mme Melanie Lloyd !

Plusieurs têtes se tournèrent dans leur direction. Melanie croisa le regard éberlué de Byron. La stupeur et l'incrédulité se lisaient également sur le visage de ses compagnons. Forçant son courage, elle entraîna Royce vers le petit groupe. Sous le choc, Byron fit un effort visible pour se ressaisir.

— Melanie ! s'écria-t-il en lui tendant les bras. Quelle petite cachottière vous faites, ma chère... Cendrillon vous aurait-elle inspirée ? En tout cas, vous êtes tout simplement... éblouissante ! Cette robe vous va à ravir.

Il la libéra au bout d'un instant pour se tourner vers Royce avec lequel il échangea quelques politesses. Un petit sourire contrit aux lèvres, Melanie promena son regard sur le reste du groupe. Ava la fixait d'un air médusé. Jade fronçait légèrement les sourcils. Mais Kyle souriait, lui, au grand soulagement de Melanie.

— Vous êtes superbe, Melanie, déclara enfin Ava avec une pointe d'envie dans la voix.

— Laissez-moi vous retourner le compliment, Ava.

Un silence tendu s'installa. Un silence bientôt rompu par une annonce fracassante, clamée haut et fort par le valet de pied en costume.

— M. Damian Campbell et Mlle Celeste Campbell !

Un brouhaha surpris parcourut la salle de bal. Interdite, Melanie guetta du coin de l'œil la réaction de son employeur. Contre toute attente, il demeura parfaitement impassible, probablement pris de court par une telle apparition. Seule sa pâleur soudaine trahissait son trouble. Comme la plupart des convives présents dans la salle, il contemplait sans mot dire la nouvelle venue.

Car Celeste Campbell faisait partie de ces femmes qui font tourner les têtes. A presque quarante ans, elle en paraissait dix de moins. Son beau visage respirait la fraîcheur, ses lèvres pleines, légèrement boudeuses, étaient parfaitement dessinées et sa longue crinière dorée cascadait librement sur ses épaules, effleurant sa chute de reins cambrée. Mais c'était surtout son corps qui attirait tous les regards masculins, son corps sculptural et hâlé, dévoilé ce soir-là par une robe spectaculaire.

Taillée dans une mousseline champagne, elle épousait chaque courbe, chaque ligne de sa silhouette irréprochable, jusqu'à ses chevilles d'une finesse extrême. De délicates sandales dorées habillaient ses pieds bronzés. Mais l'originalité de la robe conçue comme une seconde peau résidait ailleurs : fendue au dos, l'incroyable combinaison dévoilait de manière presque indécente ses jambes fuselées, interminables.

— Quelle audace, murmura Jade, fascinée comme les autres par l'extraordinaire beauté de Celeste Campbell.

— Quelle robe, renchérit Kyle.

— C'est écœurant, coupa Byron en détournant enfin les yeux. Cette femme est écœurante !

— Que fait-elle ici ? s'enquit Ava à mi-voix.

— Elle vient me provoquer, c'est évident, répondit Byron.

— Qui est l'homme qui l'accompagne ? reprit sa sœur, dévorée par la curiosité. Il est bien plus jeune qu'elle. C'est sans doute son nouveau joujou.

— Pour l'amour du ciel, Ava, tu n'as donc pas entendu ce qu'a annoncé le valet de pied ? aboya Byron. C'est son renard de frère, Damian. Ne le fixe pas comme ça, je t'en prie !

Hypnotisée par l'aura de Celeste Campbell, Melanie n'avait pas posé un seul regard sur son compagnon. Elle jeta un coup d'œil furtif dans sa direction et retint son souffle. C'était l'homme le plus séduisant qu'elle avait jamais vu.

Séduisant, oui, mais Byron avait raison. Il dégageait une espèce de… d'arrogance malsaine. Tandis qu'il observait la salle du regard en tirant sur sa cigarette, il donnait l'impression de juger ses congénères avec méchanceté. Les yeux noirs de Damian Campbell rencontrèrent les siens et Melanie se raidit instinctivement. Il la fixa d'un air impassible. Prise d'un malaise inexplicable, elle détourna les yeux.

— Quelque chose ne va pas, Melanie ? murmura Royce à côté d'elle.

— Non... non, ce n'est rien.

— Voulez-vous boire quelque chose ?

— Une flûte de champagne serait la bienvenue, merci.

— Parfait. Ava, désirez-vous un autre verre ? Le vôtre est presque vide.

Ils finirent tous par commander une flûte de champagne. Ils venaient à peine d'être servis lorsque Ava s'écria :

— Regardez ! Voici Gemma et Nathan. Oh, Gemma n'est-elle pas adorable dans cette robe ?

Adorable n'était certainement pas le mot qu'aurait choisi Melanie pour décrire la sensualité que dégageait la pulpeuse Gemma, avec sa silhouette toute en courbes, ses yeux en amande d'un beau brun velouté, ses pommettes hautes et sa bouche charnue. Presque virginale dans sa coupe, la robe de style Empire mettait en valeur la féminité exacerbée de la jeune femme.

Frappée par une pensée incongrue, Melanie coula un regard en direction de Damian Campbell. Le frère de Celeste contemplait fixement la nouvelle venue. Plus précisément, il la *dévorait* des yeux. Connaissant le tempérament jaloux et possessif de Nathan, Melanie sentit son cœur se serrer. Pourvu que ce dernier ne remarque rien !

Un moment plus tard, alors que le petit groupe entretenait une conversation plus détendue, Ava tira Byron par la manche.

— Voilà Celeste qui s'avance vers nous, Byron, murmura-t-elle d'un ton surexcité. Oh ! mon Dieu, ce n'est pas possible !

— Calme-toi, je t'en prie, la rabroua son frère en blêmissant.

— Bonsoir, tout le monde ! lança Celeste d'une voix enjouée.

Le petit groupe s'ouvrit devant elle. Tous la regardaient d'un air à la fois admiratif et intrigué. Tous, sauf Byron, visiblement furieux. Byron et Nathan qui, aussi étrange que cela puisse paraître, semblait le plus mal à l'aise. Raide comme la justice, il foudroyait Celeste du regard.

— Byron chéri, reprit celle-ci d'un ton suave, cela fait une éternité que nous ne nous sommes pas vus, n'est-ce pas ? J'aurais pourtant aimé savoir qui a fait courir cette méprisable rumeur concernant les boutiques Campbell en duty-free. Tu es au courant, je suppose ? J'ose espérer que ce n'est pas toi… Ce serait indigne d'un homme de ta classe.

Byron ne cilla pas.

— Tu connais le proverbe, Celeste : « Il n'y a pas de fumée sans feu. »

— Serais-tu en train de m'accuser ouvertement de malversation ? insista Celeste. Si c'est le cas, je vais être obligée de porter l'affaire devant les tribunaux pour diffamation.

— Je t'en prie, ne te gêne pas pour moi, lança Byron, impassible.

— Avant de vous engager dans une telle entreprise, mademoiselle Campbell, intervint Kyle, je vous suggère d'avoir une petite conversation avec votre directeur des ventes et du marketing.

— Damian ? dit Celeste en jetant un coup d'œil en direction de son frère, en pleine conversation avec d'autres

160

convives. Pourquoi ça ? demanda-t-elle en s'efforçant de masquer son trouble.

— C'est juste une suggestion, répondit Kyle d'un ton satisfait.

— Et qui êtes-vous, je vous prie ?

— Kyle est notre nouveau directeur du marketing, lança Jade. En plus d'être mon fiancé, tante Celeste.

Celeste posa ses yeux de chat sur la ravissante jeune femme en pourpre. La surprise se peignit sur ses traits.

— Jade ? C'est bien toi, petite Jade ? Mon Dieu, comme tu as changé ! Tout va bien pour toi, on dirait, ajouta-t-elle en enveloppant Kyle d'un regard entendu.

— Que fais-tu ici, Celeste ? demanda Nathan d'un ton sec.

Celeste se tourna vers lui. Son expression trahissait à présent un profond mépris.

— Tiens, tiens, voici le petit protégé de Byron. Tu as changé de compagne, on dirait, depuis notre dernière rencontre. En fait, ça ne m'étonne pas. Et pour répondre à ta gentille question, Nathan, il me semble que ce bal est ouvert au grand public ; j'ai acheté des billets, comme tout le monde. Quant à la raison de ma présence, elle s'explique très facilement : je suis venue récupérer ce qui m'appartient.

— Il n'y a rien qui t'appartienne ici, Celeste, rétorqua Nathan.

Celeste arqua un sourcil dédaigneux.

— Ah oui ? Regarde un peu cette opale enfermée dans son écrin de verre, sur l'estrade; celle que surveillent jalousement deux agents de sécurité. La moitié de cette opale appartient à la famille Campbell, ne t'en déplaise ! Il y a quarante ans, David Whitmore s'est approprié la part de mon père. Et aujourd'hui, je dois dire que je suis étonnée de voir cette pierre entre les mains des Whitmore. Si je me souviens bien, il y a vingt ans de cela, vous aviez prétendu qu'on vous l'avait volée.

Elle fit face à Byron.

— Byron ? Tu me dois une explication, il me semble.

— Mon père a offert cette opale au tien en 1945, Celeste, mais Stewart a refusé son cadeau.

— Balivernes ! Mon père m'a toujours dit que David l'avait trahi alors qu'il était au front. Je le crois, figure-toi. On ne hait pas quelqu'un à ce point pour rien !

Ils se mesurèrent du regard, vibrant de rage et d'amertume. Ils ne parlaient plus de leurs pères respectifs, mais bel et bien d'eux !

— Les Whitmore ne doivent rien aux Campbell, affirma Byron d'un ton mordant. Si tu veux l'Opale noire, Celeste, participe à la vente ! L'idée de financer en partie nos nouveaux projets avec l'argent des Campbell me réjouirait plutôt, railla-t-il.

Les yeux dorés de Celeste brillèrent d'un éclat dangereux.

— Eh bien… la disparition d'Irène n'a pas adouci ton sale caractère, on dirait. Moi qui imaginais que tu serais un autre homme, une fois libéré du joug de cette mégère qu'était ma demi-sœur. Jade, je suis navrée de parler de ta mère en ces termes mais tu es mieux placée que quiconque pour savoir avec quel égoïsme elle se comportait. Dommage que son mari ait toujours refusé d'ouvrir les yeux, lâcha-t-elle avant de s'éloigner gracieusement.

Après ce coup d'éclat, Melanie éprouva un vif soulagement en constatant que Royce et elle n'étaient pas placés à côté de la famille Whitmore pour le dîner. Même si l'échange avait été aussi stupéfiant qu'intéressant, elle désirait avant tout passer une soirée agréable en compagnie de Royce.

162

Elle savoura chaque mets du délicieux repas et but raisonnablement — du moins assez pour être détendue, riant volontiers aux plaisanteries de Royce et acceptant tous ses compliments, sous le charme.

— J'aime vous voir heureuse, lui murmura-t-il au creux de l'oreille comme elle portait à ses lèvres une fraise nappée de crème.

— Et moi... mmm... j'aime vous voir, tout simplement, confia-t-elle entre deux bouchées.

Royce se pencha vers elle pour l'embrasser, capturant entre ses dents l'autre moitié de la fraise qu'elle était en train de croquer. Melanie le contempla, à la fois surprise et séduite par l'intimité de son geste.

— Cessez de me regarder comme ça, Melanie... ou je vais être obligé de vous entraîner dans ma chambre, là, tout de suite. D'ailleurs, c'est une excellente idée.

Il repoussa sa chaise et se leva, dardant sur elle son regard enjôleur, si bleu, si sexy...

— Vous venez ?

Melanie ouvrit la bouche, la referma et finit par se lever.

— Oui.

La lueur de triomphe qu'elle lut dans son regard attisa son désir. Il la prit par la main et l'entraîna d'un pas pressé entre les rangées de tables.

— Et si... si la vente a lieu en notre absence ? murmura-t-elle d'une voix sourde lorsqu'ils émergèrent de la salle de bal.

— Ne vous inquiétez pas. J'ai la situation bien en main. Venez...

14.

— Bonsoir, madame Whitmore.

Gemma lâcha la porte des toilettes et fit volte-face. Le cœur battant, elle scruta le couloir mal éclairé. Dans un recoin sombre, la lueur incandescente d'une cigarette brilla fugitivement. L'instant d'après, Damian Campbell sortit de l'ombre.

— Oh ! C'est vous !

Il écrasa sa cigarette.

— Approchez, j'aimerais vous parler. C'est important.

Gemma regarda autour d'elle, redoutant de voir surgir Nathan.

— Je... je ne peux pas, murmura-t-elle d'une voix étranglée.

— Pourquoi ? Le *boss* n'approuverait pas ?

— Le *boss* ? Vous voulez dire Byron ?

— Non, je parlais de votre mari. C'est la première fois que je rencontre une épouse aussi docile que vous. Docile, tourmentée... et très seule.

— Je... je ne suis rien de tout ça. Que... que me voulez-vous, au juste ?

Son interlocuteur émit un rire rauque.

— J'aimerais danser avec vous, mais ce n'est pas possible ; j'aimerais bavarder tranquillement avec vous, mais ce n'est

164

pas possible non plus. Approchez, n'ayez crainte, madame Whitmore. Je ne vais pas vous mordre.

Presque malgré elle, Gemma parcourut la distance qui les séparait, attirée par son regard noir, magnétique. Lorsqu'elle s'immobilisa, il la saisit par le bras et l'attira dans une alcôve.

— Que... que faites-vous ? protesta Gemma, le souffle court.

— Je vous mets simplement à l'abri des regards indiscrets. Votre mari vous maltraite, n'est-ce pas ?

— Non ! s'écria Gemma, offusquée.

— Oh si, j'en suis persuadé. Je ne parle pas de violence physique, mais d'un rapport de force plus subtil. Je connais bien Nathan Whitmore, vous savez. Votre mari est un introverti, un personnage renfermé et tourmenté. Comment pourrait-il faire le bonheur d'une jeune femme aussi pétulante que vous ? Il finira par vous détruire.

— C'est faux !

— Nous verrons bien.

— Pourquoi me dites-vous tout ça ? s'enquit Gemma, la gorge nouée. C'est méchant et cruel.

— La vérité est parfois cruelle à entendre, c'est vrai. Je ne voulais pas vous blesser, madame Whitmore, je suis désolé. Mais je ne pouvais pas vous laisser partir sans vous avoir dit que vous aviez un ami dans cette grande ville anonyme. Un ami qui sera toujours là pour vous.

— Non ! Je veux dire... je ne...

— Quel âge avez-vous, Gemma ?

— C-comment connaissez-vous mon prénom ?

— Je sais beaucoup de choses à votre sujet, répondit Damian avec un sourire énigmatique. Alors, Gemma, quel âge avez-vous ?

— Vingt ans.

— Mmm... Et Nathan a quel âge, lui ? Trente-cinq, trente-six ans ?

Gemma le dévisagea d'un air perplexe.

— Je ne vois pas où vous voulez en venir, monsieur Campbell.

— Pour être tout à fait franc, ma chère, Nathan Whitmore ne vous a pas épousée par amour. Vous finirez bien par ouvrir les yeux un jour. Et quand ce jour-là arrivera, vous aurez besoin d'un ami qui vous appréciera pour ce que vous êtes vraiment : une belle jeune femme vive et intelligente. Arrêtez de vous voiler la face, Gemma : Nathan ne désire que votre corps et bientôt il s'en lassera, croyez-moi.

Elle secoua la tête.

— Je ne vous crois pas ! Vous avez tort. Je ne vous écouterai pas une seconde de plus, vous m'entendez !

Le cœur battant à se rompre, elle prit la fuite. Dans la salle de bal, la fête battait son plein. Des couples dansaient sur la piste, insouciants. Gemma ralentit le pas, s'efforçant de retrouver une respiration normale.

Lorsqu'elle rejoignit Nathan, ce dernier lui jeta un regard soupçonneux.

— Tu es partie bien longtemps...

— Je... il fait une chaleur étouffante, ici. J'aimerais rentrer.

Les pupilles de Nathan se rétrécirent.

— La vente va commencer. Nous partirons tout de suite après.

— Non, j'ai envie de rentrer maintenant, insista Gemma d'un air buté.

— Ne sois pas ridicule, je t'en prie. Ça ne sera pas long. De toute façon, je ne peux pas partir avant les enchères ; j'ai l'intention d'y participer.

Gemma écarquilla les yeux.

166

— Pourquoi ? Ne me dis tout de même pas que c'est pour couper l'herbe sous le pied de Celeste Campbell ! Cette histoire est complètement ridicule, enfin !

— Parle moins fort, veux-tu ? commanda Nathan d'un ton agacé.

Il observa une courte pause avant d'exhaler un soupir las.

— Si tu veux tout savoir, Gemma, je voulais t'offrir l'Opale noire.

Gemma tressaillit. Nathan et ses cadeaux, tous plus somptueux les uns que les autres ! Les paroles de Damian Campbell résonnèrent cruellement dans son esprit confus. Il avait raison : son mari ne l'aimait pas, il la considérait comme une simple maîtresse dont on s'octroie les faveurs en la gâtant.

— Assieds-toi, Gemma.

Au bord de la nausée, elle secoua lentement la tête. Damian Campbell venait de regagner sa place. Elle avait besoin de mettre de l'ordre dans ses pensées. Elle avait besoin d'air, de calme.

— Non, Nathan. Je rentre à la maison. Si jamais tu conclus la vente, poursuivit-elle d'une voix étonnamment posée, ne te donne pas la peine de m'offrir l'opale. Je ne veux pas de cette fichue pierre ! Je n'en veux plus depuis que j'ai découvert que mon père l'avait volée !

Le visage de Nathan se rembrunit.

— Retourne à la maison si tu veux. Tu as raison, les petites filles sont déjà couchées à cette heure-ci, lança-t-il d'un ton narquois.

— N'est-ce pas ? Mais les petites filles ne partagent pas leur lit avec un homme assez vieux pour être leur père !

Les mâchoires de Nathan se contractèrent. Ses paroles avaient atteint leur cible, indubitablement. Craignant de s'attendrir, Gemma tourna les talons et quitta précipitamment la salle de bal.

Elle l'avait blessé. Ignorant la petite voix qui lui soufflait de retourner auprès de lui, elle franchit le seuil de l'hôtel et s'engouffra dans un taxi.

— Nous sommes juste à l'heure ! fit observer Royce lorsqu'ils regagnèrent la salle. La vente va commencer. Suivons-la d'ici, d'accord ?

— Vous ne craignez pas que le commissaire-priseur ne puisse pas vous voir ? s'étonna Gemma.

— J'ai loué les services d'un courtier, expliqua Royce. Je lui ai fixé un plafond qu'il ne doit pas dépasser.

— Et si Celeste Campbell surenchérit ?

— Je lui laisserai l'opale.

— Mais je croyais… je croyais…

Une détermination farouche se lut dans le regard clair de Royce.

— C'est pour vous que je suis revenu à Sydney, Melanie, pour vous seule. Je vous aime, et je veux vous épouser. Je veux laisser le passé de côté, le vôtre comme le mien.

Submergée par un flot d'émotions contradictoires, Melanie ouvrit la bouche pour protester.

— Royce, je…

— Ecoutez d'abord ce que j'ai à vous dire.

Elle ferma les yeux tandis que ses dernières réticences l'abandonnaient lentement.

— Je vous aime, Melanie, chuchota-t-il tout contre son oreille. Je sais que vous ne me croyez pas et pourtant c'est la vérité. J'étais bien décidé à ne jamais me marier, pour ne pas risquer de connaître le même chagrin que mon père… mais mes bonnes résolutions sont parties en fumée dès l'instant

168

où j'ai posé les yeux sur vous, Melanie Lloyd. Je vous aime et vous m'aimez aussi. Je le sais… je le sens.

Elle ouvrit les yeux et rencontra son regard.

— Chut, Royce. La vente commence.

— Au diable la vente ! Remontons dans ma chambre.

— Non, objecta Melanie, consciente qu'elle serait perdue s'il la prenait dans ses bras. Je suis curieuse de suivre la vente. Nous parlerons après.

— Bon, d'accord, concéda Royce dans un soupir de lassitude feinte.

A partir de là, tout alla très vite. Le million de dollars fut rapidement atteint. Le rythme ralentit un peu. Lorsque fut franchi le seuil du million et demi, Royce prit un air résigné.

— Je ne suis plus dans la course. Je ne suis tout de même pas idiot au point de dépenser davantage pour un simple caillou, plaisanta-t-il.

— Qui continue à surenchérir ? s'enquit Melanie en se hissant sur la pointe des pieds pour scruter l'assistance.

— Byron… et Nathan ! C'est incroyable, cette guerre que ces deux-là se livrent ! Apparemment, Celeste Campbell a abandonné la partie. Elle est assise, parfaitement immobile. Nathan vient de se retirer. Il n'y a plus que Byron, me semble-t-il. Ah non… bon sang, un fou vient de proposer deux millions !

Le commissaire-priseur interrogea Byron du regard mais ce dernier secoua la tête en signe de dénégation, au grand soulagement de Melanie. Qui pouvait bien dépenser une telle somme pour une pierre précieuse ?

— Deux millions une fois, deux millions deux fois… deux millions trois fois. Adjugé, vendu !

Un homme au crâne dégarni se leva et, cherchant Celeste Campbell du regard, la gratifia d'un sourire. Cette dernière se leva à son tour. Une expression victorieuse éclairait son beau visage.

— Oh, oh ! murmura Melanie.

Celeste se dirigea vers l'estrade d'une démarche chaloupée. Quelques murmures parcoururent l'assistance lorsqu'elle gravit les marches. Le silence retomba dès qu'elle s'empara du micro.

— Vous avez devant vous une femme comblée, commença-t-elle de sa belle voix distinguée. Vous l'ignorez peut-être, mais l'Opale noire fut jadis la propriété conjointe des Whitmore et des Campbell. Pour des raisons… inexplicables, les Whitmore en devinrent par la suite les seuls détenteurs. Peut-être ignorez-vous aussi que cette même pierre disparut il y a vingt ans dans de mystérieuses circonstances. La police avait jadis conclu à un vol. De façon tout aussi étrange, la pierre a fait sa réapparition il y a quelque temps, mais M. Byron Whitmore semble désireux de maintenir le mystère à ce sujet. A moins, bien sûr, que nous ne parvenions à le convaincre de venir nous éclairer, conclut-elle en désignant Byron d'un geste gracieux.

Toutes les têtes se tournèrent vers lui. L'effet de surprise passé, Byron s'avança vers l'estrade sous les applaudissements de l'assistance. Son visage ne trahissait aucune émotion.

— Ma chère Celeste, commença-t-il en gratifiant sa rivale d'un sourire suave, je suis heureux que l'occasion me soit donnée de tordre le cou à certaines rumeurs infondées concernant nos deux familles. La rivalité qui existe entre nous est purement commerciale ; il s'agit d'une compétition saine et franche, nécessaire au bon fonctionnement de nos deux entreprises. D'ailleurs, je ne peux que me réjouir de céder l'Opale noire à un membre de la famille Campbell.

A cet instant, Celeste ouvrit la bouche pour protester mais il enchaîna rapidement :

— Quant à votre question concernant la soudaine réapparition de l'opale, j'aimerais pouvoir vous régaler d'une histoire romantique et rocambolesque... hélas, la vérité est simple et dénuée de grand intérêt. La pierre a été retrouvée, identifiée et remise entre nos mains à la mort d'un ancien chercheur d'opales qui la détenait chez lui. Comment cette pierre qui fut dérobée à mon domicile de Sydney il y a vingt ans s'est-elle retrouvée chez un ivrogne de Lightning Ridge ? Voilà le vrai mystère, si vous voulez mon avis. Mais peut-être pourriez-vous m'éclairer à votre tour, Celeste ?

Avant que celle-ci ait le temps de répondre, un homme en smoking noir et au visage cagoulé fit soudain irruption sur l'estrade. Des exclamations et des cris de stupeur montèrent de l'assistance lorsqu'il braqua un revolver sur la tempe de Celeste. Enroulant un bras autour de sa taille, il la tira sur le côté sans ménagement.

— Pas de panique, les amis, déclara l'homme cagoulé d'un ton glacial. Je n'abattrai pas Mlle Campbell si vous restez bien tranquillement assis sur vos chaises.

Un silence de mort s'abattit sur la salle lorsqu'un deuxième homme cagoulé surgit de l'autre côté de l'estrade. Sous la menace d'une arme automatique, il entreprit de désarmer les agents de sécurité puis, avec des gestes rapides et précis, plaça l'Opale noire au fond d'un sac en toile, avec le pendentif qu'était censée présenter la reine du bal.

Au fond de la salle, Melanie suivait la scène, catastrophée. Lorsqu'une main puissante s'abattit sur son épaule et qu'elle sentit le contact froid et métallique d'une arme dans le creux de son dos, elle sut qu'elle venait d'être prise en otage.

Royce fit un pas en direction de la sortie de secours. S'il parvenait à tendre le bras pour actionner l'alarme...

— Oublie ça, mon vieux, murmura une voix grave à son oreille. Si tu lèves le petit doigt, ta copine est morte.

Royce s'immobilisa. Lorsqu'il croisa le regard terrifié de Melanie, un terrible sentiment d'impuissance le submergea. Si jamais le pire se produisait…

— Du calme, du calme, exhorta le chef du trio, toujours posté sur l'estrade. Ne vous inquiétez pas, nous allons partir… nous emmenons avec nous deux ravissantes jeunes femmes qui serviront à couvrir notre fuite. Ne tentez rien contre nous, elles en feraient les frais, conclut-il avec une arrogance glaciale.

Sous le regard impuissant de Byron, les deux bandits descendirent de l'estrade avec Celeste. Cette dernière s'immobilisa un instant au bas des marches mais son agresseur la poussa violemment et elle tomba à genoux sur le parquet. Des exclamations horrifiées montèrent de l'assistance lorsqu'il l'obligea à se relever en la saisissant par les cheveux.

Alors, devant les convives médusés, Celeste Campbell fit volte-face en émettant un long cri de fureur. Souple comme une liane, vive comme l'éclair, elle esquissa un bond tandis que sa jambe gauche décrivait un arc de cercle parfait en direction du bandit cagoulé. Il reçut le coup de pied en pleine tête et glissa à terre au moment où son complice subissait le même traitement.

Posté à l'écart, l'agresseur de Melanie céda à la panique. Royce l'entendit charger son arme. Il s'élança vers le malfaiteur mais ce dernier fut plus rapide. Un éclair rougeoyant transperça la poitrine de Melanie qui s'écroula en le regardant fixement. Une plainte rauque s'échappa des lèvres de Royce. Aveuglé par la rage et le chagrin, il désarma l'agresseur et le bourra de coups de poing jusqu'à ce qu'il tombe à terre.

Mais il était trop tard. Trop tard.

— Melanie, articula-t-il en s'agenouillant auprès d'elle.

Il serra son corps inerte dans ses bras. Un flot de larmes embua son regard.

— Mon amour… mon amour…

— Monsieur Lloyd ? s'enquit une silhouette entièrement vêtue de vert.

Royce fit un pas en avant. Cela faisait plus d'une heure qu'il patientait dans la salle d'attente des urgences en compagnie de Byron, après une brève visite au commissariat. Les deux hommes attendaient des nouvelles de Melanie qu'on avait aussitôt transportée au bloc opératoire.

Sans se donner la peine de décliner sa véritable identité, Royce opina du chef.

— Oui, c'est moi.

— Votre femme se porte bien, monsieur Lloyd, annonça le chirurgien. La balle a transpercé le poumon gauche, endommageant quelques tissus mais, Dieu merci, elle n'a pas touché le cœur. Elle se remet tranquillement de l'intervention ; vous pourrez bientôt aller la voir.

— Elle est hors de danger ? insista Royce, en proie à une vive émotion. Je veux dire… elle va s'en sortir, c'est vrai ? Tout ira bien… n'est-ce pas ?

— Si c'est pour le bébé que vous vous inquiétez, monsieur Lloyd, je vous rassure tout de suite. Tout va bien pour lui aussi.

Royce sentit le sol se dérober sous ses pieds.

— Le bébé ? Vous voulez dire que Melanie est enceinte ?

L'incrédulité se peignit sur le visage du médecin.

— Mince alors… vous n'étiez pas au courant ? Elle n'a parlé que de ça avant et après l'anesthésie. Il fallait qu'on sauve son bébé, c'était tout ce qui comptait pour elle…

— Oh, mon Dieu…

Royce enfouit son visage entre ses mains. Le chirurgien posa une main sur son épaule.

— Désolé, je croyais que vous étiez au courant. Laissez-lui le plaisir de vous annoncer la nouvelle, d'accord ?

Royce hocha la tête, trop ému pour prononcer le moindre mot. Un bébé... *Leur* bébé... Et elle ne lui en avait pas parlé... Quand cela s'était-il produit ? Il se souvint alors de ce dimanche matin, chez Ron et Frieda... La détresse de Melanie l'avait stupéfait, ce jour-là. Ainsi, elle ne prenait pas la pilule...

Bouleversé, il se dirigea vers Byron, resté un peu à l'écart. Les deux hommes se toisèrent longuement, tous deux très émus. Ce fut Royce qui brisa le silence.

— J'aime Melanie, Byron, commença-t-il d'une voix enrouée. Je l'aime et je veux l'épouser, mais elle refuse de me faire confiance. Si vous savez quelque chose sur elle qui m'aiderait à vaincre ses réticences, dites-le-moi, je vous en prie !

Byron fronça les sourcils, songeur. Une minute passa qui sembla à Royce une éternité. Après avoir inspiré profondément, Byron prit la parole.

— Lorsque Melanie s'est présentée pour le poste de gouvernante il y a deux ans, elle est restée très discrète sur son passé. Elle m'a seulement expliqué que son mari et son fils étaient morts dans un accident de voiture, deux ans auparavant. Je tiens les informations que je m'apprête à vous livrer d'une conversation téléphonique que j'ai eue avec son frère, Ron. L'avez-vous rencontré ?

Royce secoua la tête.

— J'ai fait la connaissance de sa femme, Frieda, et de leur fils, Wayne, mais Ron était sorti à chacune de mes visites.

— Dommage, il aurait pu vous éclairer sur certaines choses. Il tient beaucoup à sa sœur, vous comprenez. Il ne

174

m'a livré les détails de cette triste histoire que parce qu'elle habitait sous mon toit.

— Bon sang, je me doutais bien que son mari lui avait fait du mal, maugréa Royce.

— Son mari s'appelait Joel Lloyd. C'était un publicitaire ambitieux, très séduisant, de dix ans son aîné. Melanie avait dix-neuf ans lorsqu'ils se sont rencontrés. Jeune fille au cœur tendre, elle est aussitôt tombée sous le charme de ce séducteur. Quelques mois plus tard, il l'épousait, l'obligeait à quitter son travail et décidait de la transformer en parfaite femme d'intérieur. Ils semblaient mener une vie heureuse jusqu'à ce que Melanie parle d'avoir un enfant. Peu enthousiaste, Joel l'en dissuada. Les années passèrent ; lassée d'attendre, Melanie s'arrangea pour tomber enceinte. Contre toute attente, son mari fondit littéralement à la naissance du bébé, un petit garçon qu'ils baptisèrent David. Au même moment, sa situation professionnelle commença à se dégrader. Dans l'espoir d'améliorer ses performances, Joel Lloyd eut recours à la drogue, la cocaïne. On raconte qu'il entretenait des liaisons extraconjugales depuis son retour de lune de miel. Melanie ne s'était jamais doutée de rien ; en revanche, elle avait découvert sa dépendance à la drogue peu avant sa mort. Inquiète à son sujet, elle passa le voir un jour à son bureau et le surprit dans la réserve avec la standardiste.

— Non…

— Sans mot dire, elle serait rentrée chez elle et aurait commencé à faire ses valises. Joel débarqua en trombe, l'accablant d'insultes et de menaces. Lorsqu'elle prit son bébé pour partir, il lui arracha l'enfant des mains, se précipita vers sa voiture et démarra sur les chapeaux de roues. En pleurs, Melanie courut derrière eux. Au bout de la rue, Joel perdit le contrôle de son véhicule et alla s'encastrer dans un poteau. La voiture explosa sous les yeux de Melanie.

— Oh mon Dieu, c'est affreux, murmura Royce, bouleversé... Je comprends pourquoi elle ne fait plus confiance aux hommes. Je... si seulement j'avais su ça avant...

Byron le considéra d'un air empreint de gravité.

— Il n'est peut-être pas trop tard, Royce, si vous l'aimez sincèrement. Melanie porte votre enfant, elle semble prête à repartir sur de nouvelles bases. A vos côtés.

— C'est mon souhait le plus cher, Byron.

— Une petite mise en garde, cependant : si jamais vous la faites souffrir, vous aurez affaire à moi.

Les deux hommes échangèrent un regard empreint de solennité. Au même instant, une infirmière fit son apparition.

— Monsieur Lloyd ? Suivez-moi, je vous conduis auprès de votre épouse.

— Je rentre chez moi, Royce, déclara Byron. Ava doit se faire un sang d'encre. Appelez-moi s'il y a du nouveau et n'oubliez pas de prévenir sa famille.

— Comptez sur moi.

Royce sentit son cœur se contracter douloureusement lorsqu'il aperçut Melanie. Pâle comme un linge, elle reposait dans son lit d'hôpital, une perfusion dans le bras.

— Elle dort ? demanda-t-il doucement à l'infirmière.

Les paupières de Melanie papillonnèrent, dévoilant ses magnifiques yeux noirs.

— Non, je suis réveillée, murmura-t-elle.

— Je reviens vous chercher dans deux minutes, prévint l'infirmière avant de s'éclipser.

Royce tira une chaise près du lit et prit la main libre de Melanie dans la sienne. Une main glacée, toute frêle...

— Ça va aller, ne t'inquiète pas, assura-t-il en effleurant tendrement ses doigts.

Le sourire qu'elle parvint à esquisser le bouleversa.

— Tu vas rater ton avion…

— J'attendrai que tu sois en mesure de le prendre avec moi… et d'ici là, tu seras ma femme.

Melanie ferma les yeux quelques instants. Lorsqu'elle les rouvrit, des larmes brillaient au coin de ses paupières.

— Je… j'ai quelque chose à te dire, Royce. J'espère que tu ne seras pas furieux contre moi.

Royce avala sa salive.

— Je ne serai jamais furieux contre toi, Melanie chérie. Ne dis rien, je suis déjà au courant pour le bébé. Le médecin a gaffé et je suis fou de joie !

— Mais tu… tu ne comprends pas… tu ne sais pas…

— Si, je comprends, et si, je sais. Je t'aime à la folie, Melanie. Tu es tout ce dont j'ai toujours rêvé. J'ai cru mourir quand le coup est parti, tout à l'heure. C'est toi que je veux, chérie, pour la vie. Toi et notre bébé. Et d'autres encore, si tu es d'accord. Alors, qu'en dis-tu ?

Elle hocha la tête, le visage baigné de larmes.

— J'ai bien l'intention de me consacrer entièrement à ma famille, promit-il avec ferveur. Je t'en prie, Melanie, accepte de devenir ma femme. J'en mourrai si tu refuses. Je t'aime…

Melanie ferma les yeux, le cœur gonflé d'un sentiment qu'elle pensait ne jamais plus éprouver. Ce n'était pas uniquement l'amour, c'était aussi la confiance. Cet homme qui lui embrassait tendrement les doigts, cet homme l'aimait sincèrement. Elle le savait. Elle le *sentait*.

Il avait fallu qu'elle frôlât la mort pour que la vérité lui apparaisse. Si le ciel était assez généreux pour lui offrir une seconde chance de bonheur, elle la saisirait à pleines mains.

Ivre de joie, elle souleva les paupières et gratifia Royce d'un sourire radieux.

— Je t'aime aussi, Royce. Je t'aimerai toute ma vie.

15.

— Quelles sont les nouvelles ? demanda Gemma d'un ton anxieux lorsque Nathan reposa le combiné.

— Elle est sortie d'affaire, Dieu merci.

Vidée de ses dernières forces, Gemma se laissa tomber sur le sofa et éclata en sanglots.

— Gemma... ma chérie...

Nathan s'assit à côté d'elle et la prit dans ses bras. Elle se laissa aller contre son mari, oubliant la colère et les doutes qui l'avaient assaillie jusqu'à ce que Nathan rentre, à 3 heures du matin, et qu'il lui raconte ce qui s'était passé après la vente.

— Byron m'a dit que Melanie était enceinte de Royce Grantham, reprit Nathan lorsque ses sanglots se furent apaisés. Il paraît qu'il l'aime et qu'il veut l'épouser, ajouta-t-il d'un ton sceptique.

Il se leva et prépara deux verres de cognac. Gemma accepta celui qu'il lui tendit. Elle avait bien besoin d'un petit remontant, après cette soirée.

— Pourquoi prends-tu cet air dubitatif ? Certains hommes tombent sincèrement amoureux, tu sais, lança-t-elle d'un ton plus acide qu'elle l'aurait souhaité.

Leurs regards se rivèrent l'un à l'autre. Gemma aurait tout donné pour savoir ce que dissimulaient les yeux gris de Nathan.

— Je sais. Royce fait peut-être partie de ceux-là... mais certainement pas ce salaud de Damian Campbell, conclut-il en faisant tourner son verre d'un geste expert.

— Il semble avoir le même sentiment à ton sujet, répliqua Gemma sans réfléchir.

Nathan se figea.

— Ah, ah ! la vérité éclate enfin au grand jour ! Il t'a parlé, n'est-ce pas ? Est-ce pour cela que tu es restée si longtemps aux toilettes ? Tu avais l'air bouleversée, en regagnant la table. Que t'a-t-il raconté, Gemma ? Quelle ruse a-t-il employée pour te convaincre de sa bonne foi ?

— Pourquoi devrais-je répondre à tes questions alors que tu refuses de répondre aux miennes ? Alors que tu me mens délibérément ?

Nathan haussa les sourcils.

— Quand t'ai-je menti ?

— Tu me mens ces derniers temps quand tu prétends avoir envie de moi, répondit-elle sans ciller.

Le regard métallique de Nathan glissa sur sa gorge palpitante et Gemma retint son souffle. C'était un regard lourd de désir, elle ne pouvait le nier. La bouche sèche, elle le regarda vider d'un trait son verre de cognac. Puis il tendit la main vers elle.

— Suis-moi, commanda-t-il d'une voix suave, je vais te prouver que je ne mens pas.

— Non, répondit-elle par bravade, alors que tout son corps frémissait déjà sous le regard ardent de son mari.

— Je t'en prie, Gemma, ne joue pas à la vierge effarouchée avec moi.

180

D'un geste autoritaire, il la saisit par le poignet et l'obligea à se lever. Indignée, Gemma lui jeta le contenu de son verre au visage.

— Espèce de petite garce... tu vas le regretter, déclara-t-il d'un ton menaçant qui la fit tressaillir.

Emprisonnant sa nuque, il la força à rejeter la tête en arrière et captura sa bouche dans un baiser agressif. Sa langue força le barrage de ses lèvres tandis que sa main glissait sur son corps tremblant de peur et de désir mêlés. Un gémissement lui échappa et Nathan la relâcha soudain. La culpabilité et le dégoût voilaient son beau visage.

— Je... je suis désolé, murmura-t-il en l'étreignant plus tendrement, cette fois. Pardonne-moi.

Pantelante de désir, Gemma se blottit contre lui. Etait-ce normal d'avoir envie qu'un homme vous fasse l'amour presque brutalement ? A cette pensée, un sentiment de honte s'empara d'elle et elle secoua la tête, hébétée. Le souffle brûlant de Nathan caressait sa gorge frémissante.

— Va te coucher, ordonna-t-il finalement. La journée a été éprouvante, tu dois être épuisée.

En proie à un profond abattement, Gemma obéit sans mot dire. Comment avait-elle pu douter de l'amour que lui portait son mari ? S'il l'avait épousée sans l'aimer, il n'aurait pas mis un terme aussi brutal à leur étreinte. Damian Campbell se trompait. Nathan l'aimait vraiment. Mon Dieu, elle s'était comportée comme une idiote, ce soir encore !

Bien plus tard, Nathan pénétra dans la chambre à coucher. Posté au pied du lit conjugal, il contempla d'un air tourmenté sa jeune épouse endormie. Tout à coup, son expression changea et il se dirigea en silence vers la coiffeuse de Gemma. Là, il prit les trois plaquettes de pilules qu'elle gardait dans son tiroir et gagna la cuisine d'un pas décidé. Quelques instants plus tard, il jetait le tout au fond de la poubelle.

Ainsi, Gemma désirait un bébé ? Très bien, il exaucerait son souhait. Il lui offrirait tout ce qu'elle désirait pour la garder dans son lit. Absolument tout !

COLLECTION

Coup de folie

Quand l'humour fait pétiller l'amour

1 roman par mois, le 15 de chaque mois

Dès le 15 avril, un nouveau
Coup de Folie vous attend

Fou d'Annie, par Jennifer McKinlay - n°10

Fisher est fou. Fou de vouloir poursuivre cette enquête. Fou d'oublier la règle d'or de tout agent du FBI : ne jamais, *jamais* tomber amoureux du suspect n°1, surtout dans une affaire de trafic de blanchiment d'argent. Même si le suspect en question est *une* suspecte, qu'elle répond au doux prénom d'Annie et qu'elle est belle à en mourir ! Mais pour Fisher, il est déjà trop tard : sûr de ses sentiments, il entend bien prouver l'innocence de sa dulcinée…

Le nouveau visage
de la collection Or

◆

AMOURS D'AUJOURD'HUI

Afin de mieux exprimer sa modernité et de vous séduire encore davantage, votre collection Or a changé de couverture et de nom depuis le 1er mars 1995.

Rassurez-vous, les romans, eux, ne changent pas, et vous pourrez retrouver dans la collection **Amours d'Aujourd'hui** tous vos auteurs préférés.

Comme chaque mois, en effet, vous y attendent des héros d'aujourd'hui, aux prises avec des passions fortes et des situations difficiles...

COLLECTION
AMOURS D'AUJOURD'HUI :
Quand l'amour guérit des blessures de la vie...

Chère lectrice,

Vous nous êtes fidèle depuis longtemps?
Vous venez de faire notre connaissance?

C'est pour votre plaisir que nous avons
imaginé un rendez-vous chaque mois
avec vos auteurs préférés, vos
AUTEURS VEDETTE dans les
collections Azur et Horizon.

Les AUTEURS VEDETTE vous
donneront rendez-vous pour de
nouveaux livres vedette.

Pour les reconnaître, cherchez
l'étoile . . . Elle vous guidera!

Éditions Harlequin

HARLEQUIN

LE FORUM DES LECTEURS ET LECTRICES

CHERS(ES) LECTEURS ET LECTRICES,

VOUS NOUS ETES FIDÈLES DEPUIS LONGTEMPS?

VOUS VENEZ DE FAIRE NOTRE CONNAISSANCE?

SI VOUS AVEZ DES COMMENTAIRES, DES CRITIQUES À FORMULER, DES SUGGESTIONS À OFFRIR, N'HÉSITEZ PAS… ÉCRIVEZ-NOUS À:

> LES ENTERPRISES HARLEQUIN LTÉE.
> 498 RUE ODILE
> FABREVILLE, LAVAL, QUÉBEC.
> H7R 5X1

C'EST AVEC VOS PRÉCIEUX COMMENTAIRES QUE NOUS ALLONS POUVOIR MIEUX VOUS SERVIR.

DE PLUS, SI VOUS DÉSIREZ RECEVOIR UNE OU PLUSIEURS DE VOS SÉRIES HARLEQUIN PRÉFÉRÉE(S) À VOTRE DOMICILE, NE TARDEZ PAS À CONTACTER LE SERVICE D'ABONNEMENT; EN APPELANT AU (514) 875-4444 (RÉGION DE MONTRÉAL) OU 1-800-667-4444 (EXTÉRIEUR DE MONTRÉAL) OU TÉLÉCOPIEUR (514) 523-4444 OU COURRIER ELECTRONIQUE: AQCOURRIER@ABONNEMENT.QC.CA OU EN ÉCRIVANT À:

> ABONNEMENT QUÉBEC
> 525 RUE LOUIS-PASTEUR
> BOUCHERVILLE, QUÉBEC
> J4B 8E7

MERCI, À L'AVANCE, DE VOTRE COOPÉRATION.

BONNE LECTURE.

HARLEQUIN.

VOTRE PASSEPORT POUR LE MONDE DE L'AMOUR.

ROUGE PASSION

De fiévreuses histoires d'amour sensuelles!

De provocantes histoires d'amour passionnées et romantiques qu'on lit d'une seule traite. Aventureuses, parfois humoristiques, et sensuelles, elles mettent en vedette des hommes et des femmes d'aujourd'hui.

ROUGE PASSION...quatre nouveaux titres chaque mois.

<u>COLLECTION HORIZON</u>

Des histoires d'amour romantiques qui vous mènent au bout du monde!

Découvrez la passion et les vives émotions qu'apportent à la Collection Horizon des auteurs de renommée internationale!

Captivantes, voire irrésistibles, ces histoires d'amour vous iront assurément droit au coeur.

Surveillez nos quatre nouveaux titres chaque mois!

GEN-H

HARLEQUIN

En août, on vous tente avec un livre SUPER PASSION de la série Rouge Passion.

Les livres SUPER PASSION sont un peu plus sensuels et excitants, mais toujours l'amour triomphe des contraintes, de dilemmes et vient réchauffer votre coeur comme une caresse.

Une histoire SUPER PASSION chaque mois, disponible là où les romans Harlequin sont en vente !

RP-SUPER

HARLEQUIN

Lisez Rouge Passion pour rencontrer L'HOMME DU MOIS!

Chaque mois, à compter d'août, vous rencontrerez un homme **très sexy** dans la série Rouge Passion.

On peut distinguer les livres L'HOMME DU MOIS parce qu'il y a un très bel homme sur la couverture! Et dedans, vous trouverez des histoires écrites selon le point de vue de l'homme et de la femme.

Les livres L'HOMME DU MOIS sont écrits par les plus célèbres auteurs de Harlequin!

Laissez-vous tenter avec L'HOMME DU MOIS par une histoire d'amour sensuelle et provocante. Une histoire chaque mois disponible en août là où les romans Harlequin sont en vente!

RP-HOM

**L'ASTROLOGIE EN DIRECT
TOUT AU LONG
DE L'ANNÉE.**

(France métropolitaine uniquement)
Par téléphone 08.36.68.41.01
0,34 € la minute (Serveur SCESI).

Composé et édité
PAR LES ÉDITIONS HARLEQUIN
Achevé d'imprimer en mars 2003

BUSSIÈRE
GROUPE CPI

à Saint-Amand-Montrond (Cher)
Dépôt légal : avril 2003
N° d'imprimeur : 30716 — N° d'éditeur : 9813

Imprimé en France